JN077583

残酷な世界でどう生きるか

「進撃の巨人」の言葉

伊藤 賀一

SOGO HOREI PUBLISHING CO., LTD

目次

第2章 世界史から読み解く「進撃の巨人」

第3章 日本史から読み解く「進撃の巨人」

第4章 現代史から読み解く「進撃の巨人」

第5章　哲学から読み解く「進撃の巨人」

本文デザイン：木村勉
DTP：横内俊彦
装丁：別府拓（Qデザイン）

●**エレン・イェーガー**

母親を巨人に殺され、調査兵団に入ることを決意。「進撃の巨人」を受け継ぐ。明るく前向きな性格だったが、ウォール・マリア奪還作戦以降、パラディ島の外の世界を知り、顔から明るさが消えた。「進撃の巨人」「始祖の巨人」「戦槌の巨人」の力を宿す。

●**ミカサ・アッカーマン**

両親を殺した強盗をエレンとともに倒したことをきっかけに高い身体能力が覚醒。常にエレンに寄り添う。しかし、「地鳴らし」以降、エレンからもらったマフラーは巻いていない。父はアッカーマン家、母はヒィズル国の将軍家という血筋。

●**アルミン・アルレルト**

エレン、ミカサの幼なじみ。博識でエレンに壁外の世界を教えた。エレン、ミカサとともにシガンシナ区で育ち、巨人侵攻で祖父を失い、入営する。ベルトルトから「超大型巨人」を継承した。最後はハンジから第15代調査兵団団長を受け継ぐ。

●**ヒストリア・レイス**

第104期訓練兵団の団員。クリスタ・レンズの本名。兵士としての能力は高くないが、その献身さから人気は高い。壁内を支配するレイス家の血を引く。フリッツ王政を倒し、自らが女王となる。孤児院を運営し、「牛飼いの女神様」と呼ばれる。

●**ジャン・キルシュタイン**

第104期訓練兵団の団員。ハッキリとした物言いから、エレンとは相いれない関係。仲間の死を通じて、リーダーとしての資質を備え始め、マーレ遠征作戦では、同期を率いる存在となっている。最終局面で「無垢の巨人」にされてしまう。

●**マルコ・ボット**

第104期訓練兵団。指揮役として優れた資質を持つ。優れた洞察力と判断力を備えていたため、トロスト区奪還作戦で不用意な会話をしたライナーたちに捕えられ、巨人の餌食となる。

●**ユミル**

第104期訓練兵団。マーレではユミル教の教祖だったために「楽園送り」となった。マルセル・ガリアードを捕食したことで「顎の巨人」となった。クリスタに執着していたが、「顎の巨人」をマルセルの弟のポルコに継承させた。

●**サシャ・ブラウス**

第104期訓練兵団の団員。鋭い勘の良さを持つ野生児である。非常にマイペースで野性的な性格の持ち主。並外れて食い意地が張っており、食べ物が絡むと見境がなくなる。最後はガビに撃たれて死亡。

●**エルヴィン・スミス**

調査兵団の団長。冷酷かつ非情な指揮官だが、リヴァイさえも一目置く存在。人類の前進のためには、手段を択ばない覚悟と非情さを持つ。ウォール・マリア奪還作戦で、ジークに特攻をかけて死亡。

●**リヴァイ・アッカーマン**

調査兵団の兵士長。人類最強の兵士と目され、部下からは「兵長」と呼ばれている。ウォール・マリア奪還作戦以降、「獣の巨人」ジークを倒すことに執念を燃やす。中央憲兵のケニーは伯父。清掃を徹底する異様な綺麗好き。

●**ハンジ・ゾエ**

エルヴィンの後、第14代調査兵団団長を継いだ女性。調査兵団内では「怖いもの知らずの変人」「生き急ぎすぎ」と言われるが、仲間は多い。「地鳴らし」が迫る中、飛行船を飛ばすために、単身で巨人に攻撃を仕掛け、斃れる。

●**ドット・ピクシス**

駐屯兵団の司令官にしてトロスト区を含む南側領土を束ねる最高責任者。軍務に対しては柔軟な判断力と果断に富んだ指揮力を持ち、兵士だけでなく、壁内の民衆から支持されている。最後は「無垢の巨人」にされてしまう。

●**ハンネス**

エレンたちを幼いころから知る駐屯兵団所属の兵士。トロスト区が巨人に襲われたとき、エレン達を助けるために戦わなかったことを内心忸怩たる思いでいる。

●**マルロ・フロイデンベルク**

アニたちと同期の憲兵。ウォールマリア奪還作戦では、エルヴィンや新兵とともに、戦死した。ヒッチとはお互いに嫌悪するも意識する関係だった。

●**ケニー・アッカーマン**

もともと王政に批判的で、ウーリ・レイスを暗殺しようとするも、ウーリの理想を知り、体制のために働くようになる。リヴァイの伯父。

●**ウーリ・レイス**

ロッドの弟で、「始祖の巨人」と世界の記憶を継承した。滅亡にいたる壁内人類にとってのはかない「楽園」を築こうとしていた。

●**ロッド・レイス**

王政府における非公式かつ実質的な最高指導者。ヒストリア・レイスの実父。「始祖の巨人」を持つ娘たちがグリシャに殺された。エレンから巨人の力を取り戻すべく、ヒストリアに近づく。最後は最大の巨人と化し娘に討たれた。

●**フクロウ**

マーレ治安当局の役人。「エルディア復権派」の内通者であり、「進撃の巨人」の力をグリシャ・イェーガーに継承させた。家族をマーレに殺され、復讐とエルディアの復権を誓っている。

●**サシャ・ブラウスの父**

自然をあまりにも愛するサシャに新しい価値観を身につけるべく入営をすすめた。狩りから離れ、ブラウス厩舎で馬の飼育に従事している。巨人によって親を失った子供たちを引き取って養育している。

●**グリシャ・イェーガー**

エレンの父親。「エルディア復権派」のリーダーだったが息子ジークの裏切りを受けて、マーレ政府に捕まる。フクロウから「進撃の巨人」を継承し、パラディ島で新たな人生を歩む。

●**ヴィリー・タイバー**

エルディア帝国の元貴族家。「戦鎚の巨人」を管理するタイバー家の現当主で名誉マーレ人の代表的存在。パラディ島征服の演説をしている最中に、潜伏したエレンの「進撃の巨人」から襲撃を受けて死亡。

●**ジーク・イェーガー**

クサヴァーより「獣の巨人」を継承。全エルディア人の「安楽死計画」を実行しようとするが、エレンが阻止。〝地鳴らし〟の最中、リヴァイに首を落とされた。

●**ポルコ・ガリアード**

ライナーたちの仲間で、ユミルから「顎の巨人」を継承した。ライナーにライバル心を持っていた。最後は、ファルコに「顎の巨人」を継承させる。

●**テオ・マガト**

ライナーなどの戦士候補生を選抜した。物語終盤で元帥となる。〝地鳴らし〟を止めるハンジたちを逃すために、港に残る軍艦に乗り込み、爆破した。

●**キヨミ・アズマビト**

ヒイズル国の外交特使。「氷爆石」の利権独占を狙い、パラディ島政府に働きかけている。ヒイズル国将軍の末裔であるミカサへはとても献身的。

特別誌上講義 1

名言編

人の心を揺さぶる名言から透ける世界の「生き方」

『進撃の巨人』は、閉鎖された社会に生きる人類が、あらがえないほど大きな脅威に、恐れながらも、犠牲を払い立ち向かっていく「叙事詩」だ。すべてのページにエレンたちの叫びが詰め込まれている。

『進撃の巨人』は、いま現在、自分の聞きたい、必要としている言葉だけが「刺さる」「入ってくる」作品。だからこそ、**個人の置かれた状況に応じて、何度も見返す価値がある**といえます。

ここでは、象徴的な3つの名言を取り上げて講義をしましょう。

昨今、声高に唱えられるように、多様性〔ダイバーシティ〕が尊重されるようになった世界。**個人が、それぞれの価値観で自由に生きることが許されるようになった世界。**

歴史を学べばわかりますが、確かに、いま、この社会において共有された価値は、「絶対」でも「不変」でもない。だから好きにやればいい。**持続可能な開発目標（SDGs）**を立てて、将来世代の事を考えつつ、優しく生きていきましょう……。

しかし、どっこい。

それはまだまだ表面的なもの。現実には……

「**この世界は残酷だ…。そして… とても美しい**」

弱肉強食、優勝劣敗、適者生存。特に1989年の東西冷戦終了後、世界中を覆う自由主義、市場経済の下で、その傾向は強まっているようにすら思えます。

納得できませんか？　ならば労働市場や恋愛市場を思い浮かべてください……。ご理解いただけましたでしょうか。

残酷な世界という現実社会

「強いものが弱いものを食らう」「優れているほうが勝つ」「適応できないものは死んでもしょうがない」という思想は、どんなに綺麗事を並べようが、

持続可能な開発目標　2015年の国連サミットで採択された国際目標。「2030年までに持続可能でよりよい世界を目指す」。具体的な指針が設定されており、17のゴール・169のターゲットから構成される。地球上の「誰一人取り残さない」ことを誓っている。

人の心の奥底＝本音では否定しきれません。

しかし、その基準を誰かに強いられることは、あってはならない。

『進撃の巨人』の主人公であるエレン・イェーガーは、まったく空気が読めない「剥き出しの本音」が服を着て歩いているような存在です。

「オレ達は生まれた時から自由だ」

「オレがこの世に生まれたからだ」

これらが彼のキャッチフレーズ。まるで野生動物ですね……。これがアフリカのサバンナや、北極の雪原ならおおむね正しいです（とはいえ、その世界にまで人の支配・管理は進出していますが……）。

しかし、文明が成立してからの人類は社会的存在で、独りでは生きられない。**「公共の福祉」**に反することはしてはならない。

言い換えれば、〝人に迷惑をかけさえしなければ〟何をしてもいい、というサファリパークに生きる動物のような存在が人類なのかもしれません。

そして、『巨人』の世界では、1巻に登場する人類は、壁内に閉じ込められている動物園の檻の中のような状態で、しかも陸上と水上しか移動できま

公共の福祉
日本国憲法（第12、13、22、29条）に規定された「人権を制約する原理」のこと。憲法は本来、「個人の尊重」に価値を置くが、それを制限する際に、用いられることもある概念。ただし、「個人が多数のために犠牲になる」ことを意味するものではない。

せん。辛うじて調査兵団のメンバーだけは、命懸けで壁外に出て、地下資源「氷爆石」を燃料とした立体機動装置で空を駆けることができます。

永遠の中2病のような「進撃の巨人」エレンは、たとえ母カルラが巨人（＝父グリシャの前妻ダイナ・フリッツが「無垢の巨人」となったもの）に食われなくとも、その性格上、調査兵団に入ろうとしていました。

ただ、彼は本当に危うい。そのように先ほど少し書きました。

しかし、その基準を誰かに強いられることは、あってはなりません。

純粋ゆえに無垢なエレン

エレンは、「自由に生きなければならない」「生まれたからには世界を広げていかなければならない」という意識の高さを持っていることは素晴らしいのですが、他者にそれを押し付けてしまう恐れがある人間です。

このような考えは、「自由の押し売り」が高じて、かえって排他的になってしまう。「自由に生きなければ人ではない」「世界を広げようとしない人は生きている価値がない」などなど。

彼の義兄である「獣の巨人」ジークは、エレンと同様に危ういです。

エルディア人安楽死計画

安楽死や尊厳死という言葉は、あくまでも本人たちが「そうしたい」と意思表明をした場合にのみ、「選択可能な」方法です。

「どうせ不幸になるだけなので、殺してあげたほうが本人のためだ」などと本人の希望と無関係に第三者が「そうするべき」とするものを、安楽死や尊厳死とは言いません。それはただの殺人、虐殺です。

このやっかいなイェーガー義兄弟は、義兄の安楽死計画を義弟が止めたかと思いきや、その義弟は「自分の大事な関係者以外は皆殺しにしてやる」という〝地鳴らし〟を発動してしまいます……。

公に奉仕する覚悟を見せる

さて、ここで最後、3つめの名言が登場します。この作品の最大のテーマは、個人的には、

「心臓を捧げよ」

だと思います。

世界は残酷で、そこでは「私」を前面に押し出して自由に生きようとする生物たちがいます。それが弱肉強食、優勝劣敗、適者生存という「現実」です。

そんな世界において「公」を打ち出す。でなければそこは「理想」の社会にはなり得ないからです。

心臓を捧げること。

「私」と「公」の狭間で誠実であろうとすること。

私は、この作品の最大のテーマは「**誠実であることの困難さ**」だと思っています。

物語の後半、調査兵団やマーレ陸軍エルディア人戦士隊の面々は、ジークの安楽死計画を命懸けで（＝心臓を捧げて）止めようとします。

物語のクライマックス、調査兵団、マーレ陸軍エルディア人戦士隊、反マーレ義勇軍に限らない全ての人は、エレンの暴走〝地鳴らし〟を命懸け（心臓を捧げて）で止めようとします。

最終的に、巨人の力を持つ王家の「守護」が仕事であるはずの、アッカーマン一族のリヴァイがジークを、ミカサがエレンを殺害することで、この義兄弟の暴走を止めるのです。ミカサなんて、エレンが好きで好きでしょうがないのに……。

私は約30年間、貴重な時間とお金を使ってくれる若い人たちの前で授業してきました。社会科の講師として何を伝えればいいのか、常に考えています。**「私」が生み出す現実と、「公」が目指す理想。**これをきちんと教えないと、希望（わくわく）にあふれる若者は、失望（がっかり）します。出会う大人が何人も失望させてしまっていれば、私を見た時も、絶望（やっぱり）するかもしれません。

「がっかり」はしょうがない、まだトドメじゃないですから。しかし「やっぱり（この人もこうなんだ）」だけは絶対に避けたい。将来そんな大人になってしまうからです。

現実と理想の境目に挟まれて生きているのは、子どもも大人も、男も女も（LGBTQの人も）、いつの時代も、どこの誰でも同じ。

でも、希望は残してあげたいし、自分も諦めてはいない。

3つの名言に共通する真意

そんな中、数年前に出会ったのが、この素晴らしい作品『進撃の巨人』でした。シャーディス教官やマガト元帥のような立場である自分は、生徒さんたちにとって、よい先生だったろうか？　登場人物の親たちと比べて、自分の子どもたちにとって、どういう親だろうか？などと考えさせられました。

ここでは3つの名言を取り上げて講義を続けてきましたが、私が最も救われたのは、ユミルがヒストリアに言った

「胸張って生きろよ」

でした。

現実にある「残酷な世界」で、一人の私として「自由に」、そして理想の公に対し「心臓を捧げて」生きる。

それが「胸張って」生きることではないかと、自分なりの答えを見つけたような気がしました。

もちろんこんなものはタダの自意識過剰、勝手な解釈、思い込みかもしれません。

しかし、この作品は、登場人物である「彼ら、彼女ら」ではなく「僕たち、私たち」の話なんだと、**自分ごとに思える人**にこそ、本当におもしろい作品なのではないでしょうか？

優れた作品ほど、題名のない絵画のようなものだと思います。皆さんも、好きに見て、好きに感じて、自分なりの解釈を、頭の中でカタチにしてみてください。

私はそれを、こうして書籍にしてしまったのですが……（笑）

第1章　地理・現代社会から読み解く「進撃の巨人」

1

駆逐してやる!!
この世から…
一匹…　残らず!!

エレン・イェーガー（第2話「その日」）

I'm gonna destroy them!!
Every last one.

母親を殺された激情が少年に復讐を決意させた

巨人の出現が、エレンたちの世界を変えてしまった。母親を巨人に食い殺されたエレンはミカサ、アルミンとともに12歳で訓練兵団に入った。「少年兵」として訓練を受けたエレンは、過酷な訓練を経て、兵士として成長していく。

高さ50メートルもある〝三重の壁〟の大外、ウォール・マリア南端から突出したシガンシナ区。８４５年、10歳だったエレン、ミカサ、アルミンは、運河沿いで話していた。突如、壁の向こうに60メートル級「超大型巨人」の顔が現れる。この巨人が壁外との境になる開閉扉を蹴破り、約１００年の平穏が破られ、人類は再び巨人の脅威に晒(さら)された。次々と壁内に入ってくる「無垢の巨人」。その一体に**母カルラを食い殺されたエレン**は、ミカサとともに駐屯兵団のハンネスに助けられた。

さらに「鎧の巨人」が、シガンシナ区とウォール・マリアとの間の開閉扉を体当たりで壊し突破！　人類の活動領域は、２枚目の壁であるウォール・ローゼへ内と後退する……。

運河の上流、ウォール・ローゼ南端へと向かう脱出船に、辛うじて乗り込むことができたエレンとミカサ。甲板上で遠目に「鎧の巨人」を見つつ、**エレンは巨人たちへの復讐を誓う**。それを驚いたような目で見つめるミカサ。

壮大な『進撃の巨人』という物語は、こうしてスタートする。

復讐を誓うものの、当時のエレンには、まだ具体的な未来は描けていない。それでも、狂気に近い強い気持ちを抑えることができなかった。

2年後、12歳になったエレン、ミカサ、アルミンは「第104期訓練兵団」に入団する。そして、3年間にわたり、兵站行進、馬術、格闘術、兵法講義、技巧術、立体機動などの厳しい訓練を受け、教育される。

そして、あの悲劇から5年経った850年。訓練兵団の全課程を終え15歳となったエレン、ミカサ、アルミンは、正式に兵士となる。

この時、同期は15～17歳（ライナーとユミルは17歳、ベルトルトとアニは16歳）で、いわゆる**少年兵**（**チャイルドソルジャー、子ども兵**）である。少年兵が実戦に参加するということは、巨人による攻撃で、働き盛りの人口や兵への志願者が少ないということだ。

我々の世界では、18歳未満の少年兵の徴募は、1989年に国連総会で制定された「子どもの権利条約」で禁止されている。しかし、歴史をひもとけば、これは例外である。

例えば、ドイツの**ヒトラーユーゲント**（ヒトラー青少年団）。14～18歳の全男子が強制加入させられていたが、団員から選抜された**第12SS装甲師団**は、1944年の連合国による〝ノルマンディー上陸作戦〟や、翌年のドイツ軍最後の攻勢〝春の目覚め作戦〟で戦い敗れている。また、特殊パターンとして、13世紀前半の第4回十字軍後にフランスやドイツにおいて結成された**少年十字軍**もある。これは非武装の民衆運動で、陰謀により奴隷として売り飛ばされた。日本でも、父の足利高氏（尊氏）の命で鎌倉幕府討伐軍の大将となった千寿王（のち室町幕府2代将軍義詮）は、何と3歳。馬にしがみつき泣いていたとしか思えない……。

現代では、アフリカなどの紛争地域を中心に、**世界に約30万人のチャイルドソルジャーが存在する**ことが知られている。両親が殺され、その復讐を理由に自発的に入隊する子どもがいる一方、誘拐され、強制的に育成される子どももいる。チャイルドソルジャーは、まだ善悪の判断がつかず、思想的に操りやすいことから、残忍な兵士に育てられる。**紛争が終わり解放された後も、肉体的・精神的な傷を負い、社会復帰できないケースが多い。**

2

勝者しか生きることは許されない
残酷な世界

ミカサ・アッカーマン（第6話「少女が見た世界」）

This is the cruel world…
…And only the winners survive.

格差、不正、不平等、あらゆる問題は決して解決されない現実

ミカサたちの初陣は、ウォール・ローゼを破り侵入してきた巨人たちの排除だった。戦いながらミカサは、母親を殺した強盗たちをエレンと一緒に倒したことを思い出していた。〝戦い〟を通じてエレンとの絆を感じていたミカサに届いたのは、エレンの戦死だった。

第104期訓練兵団の解散式を終えた翌日。2枚目の壁、ウォール・ローゼ南端のトロスト区。5年前にシガンシナ区に「超大型巨人」「鎧の巨人」が現れ、ウォール・マリアを突破されたことで、人類の活動領域の最前線がこの地区になる。

しかし、再度の「超大型巨人」襲来！　南扉が破壊されたとの報が届く。

運悪く調査兵団が壁外調査で出払っており、前衛と後衛の駐屯兵団と中衛の訓練兵団のみで、補給支援、情報伝達、巨人の掃討等を行うことになった。第104期の首席であるミカサは、特別扱いで後衛の精鋭部隊に組み込まれ、同期と離れて戦うことに……。

苦戦の最中、中衛にいたエレンが巨人に食われ戦死した、とアルミンから報告を受けたミカサは、自分を見失い、立体機動装置の燃料切れを起こして路上にへたり込む。

「この世界は残酷だ… そして… とても美しい」と、マフラーを巻いてくれた6年前のエレンとの出会いを回想して「いい人生だった…」と、一旦は生きることを諦めた。

しかし、エレンの**「戦え!!」「戦わなければ勝てない…」**という魂の言葉を思い出し、覚悟を決めて立ち上がり巨人に向き合う。

そう、**この世界は、勝者しか生き残ることは許されない、残酷な世界**なのだ。

事実上の最終学歴を決める日本の大学受験生も、10代後半で「結果がすべて」の世界を経験する。「人類みな平等」なんて理想主義者の綺麗事だと人生で初めて痛感する、一種のイニシエーション〈通過儀礼〉である。

実家の〝太さ〟や通う高校の差〈推薦やAO入試に関する部分は特にひどい〉、という「機会の平等」すらままならない自由主義、資本主義の世界で、「結果の平等」なんて社会主義、共産主義〈＝左派〉の戯言だと気づく。この世界は、生物進化論のダーウィンや社会進化論のスペンサーに聞かずとも、**弱肉強食、優勝劣敗、適者生存。**

特に一般入試では、どんなに見た目が良く愛想があっても点数はもらえず、合格ラインを1点でも上回り、見た目も性格も最悪の人間は問題なく合格していく。とはいえ、そもそも日本の大学進学率は5割余りにすぎず、進学先が偏差値ボーダーフリーの〝Fラン大〟であろうが、同世代の中では恵まれた部類に入ることに、皆余り気づいていない。首都圏の有名私大グループであるMARCH（明治、青山学院、立教、中央、法政）、京阪神の関関同立（関西学院、関西、同志社、立命館）クラスは、大企業ではノンキャリア組のソルジャー（兵隊）採用だと言われるが、同世代の上位約10パーセント。男性の身長でいえば178センチ以上という感じである。また、早慶、地方旧帝クラスで上位約4パーセント、東大、京大や国立医学部に至ってはもう……。

「他人と比べて自分は……」という話でコンプレックスを抱えている若者も多いが、相対的な話でいえば、東大内でも文Ⅲ（文学部・教育学部）より文Ⅰ（法学部）、さらに上に理Ⅲ（医学部）という序列がある。もっと言えば、後醍醐天皇やナポレオンよりも、衣食住の暮らし向きが豊かなのが現代人である。さらに昭和の電化製品、交通機関、環境衛生より、令和の私達が何と便利で豊かなことか！

この世界も、冷静に考えれば**案外悪くない**のだ。

3

そうだ…海がある
でもまだ見てないだろ？

エレン・イェーガー（第90話「壁の向こう側へ」）

That's right. The ocean.
But you haven't seen it yet, have you?

〝海〟は自由への入口だが、悲劇の入り口かもしれない

壁内人類の記憶が王により操作されていたことなど、エルディア人についての真実を知った調査兵団の新たな指導者たちは、手にした〝自由〟の大きさにおののく。たじろぐアルミンに、エレンはあらゆる可能性を説く。

アルミンとエレンは、いつか壁の外にある海を見に行こう、と幼い時から互いに誓い合っている。特にアルミンは、祖父が遺した本で情報を得ているだけに熱心だ。

「地平線まですべて塩水!!　そこにしか住めない魚もいるんだ!!　エレンはまだ疑っているんだろ!?　絶対あるんだから!　見てろよ!」

「しょうがねえ。そりゃ実際見るしかねぇな」

パラディ島に暮らす壁内人類は、同じ島国の日本で例えると、いわば**内陸県**の住民である(我々は行き来が自由だが)。47都道府県中、内陸県がいくつあるかご存じだろうか?

答えは8つ。ただし、これらの県に海はなくても、アルミンやエレンが感激しそうな

「絶景」はいくつもある。都道府県番号順（そんなものがあるのだ）に、紹介していこう。
番号9は**栃木県**（もと下野国）。日光の中禅寺湖から、落差97メートルの見事な滝が落ちる。この華厳滝は、袋田の滝（茨城県）、那智滝（和歌山県）とともに「日本三大名瀑」とされる。他にも、日光杉並木や鬼怒川ライン下りなどが有名だ。
番号10は**群馬県**（もと上野国）。噴火口にできたカルデラ湖の榛名湖に、榛名富士の山影が映る光景が美しい。他に白雲山、金洞山、金鶏山からなる妙義山も絶壁や奇岩で有名だ。妙義山は、１９１２年、イギリス人の登山家ウオルター・ウエストンがロープを使い2人で岩山を登る技術を教えたことから、近代登山発祥の地として知られる。
番号11は**埼玉県**（もと武蔵国、下総国の一部）。荒川が削った4キロにわたる景勝地の長瀞が有名。川の東岸に「秩父赤壁」と呼ばれる切り立った崖が、西岸に「岩畳」と呼ばれる岩石の段が見られ、両岸を眺めながら舟で下る長瀞ライン下りが楽しめる。
番号19は**山梨県**（もと甲斐国）。富士五湖（山中湖、河口湖、西湖、精進湖、本栖湖）の「逆さ富士」や、御岳昇仙峡が有名。また、春に笛吹市の中央線沿いに一斉に咲く桃の花も特急あずさ、かいじ号からボーっと見ていると、思わず姿勢を正してしまうほどに美しい。

番号20は**長野県**（もと信濃国）。上高地や美ヶ原高原、戸隠神社の参道、高遠城址公園の桜など、この県は絶景の宝庫。また、松本城や旧開智学校は、北アルプス〔飛騨山脈〕を背景に青空の下に建っているだけで絵のようだ。

番号21は**岐阜県**（もと飛騨国、美濃国）。UNESCOの世界文化遺産にも登録されている白川郷の合掌造り集落は、四季それぞれの魅力がある。乗鞍スカイラインからの景色や、金華山上の岐阜城から見下ろす夜景も抜群。長良川の鵜飼は格別である。

番号25は**滋賀県**（もと近江国）。「近江八景」の一つ「堅田落雁」で有名な琵琶湖と浮御堂の取り合わせは感涙モノ。瀬田の唐橋に落ちる夕日、彦根城の夜桜も一見の価値あり。

番号29は**奈良県**（もと大和国）。吉野山の桜は数々の歌に詠まれてきた。猿沢池と奈良ホテル、戦国期の寺内町である今井の町並みを思い出せば、今すぐ旅に出たくなる……。

もちろん、『巨人』の世界にも絶景はある。アルミンやエレンら調査兵団の面々が初めて見ることができた海もそうだし、マーレの海岸都市オディハに接近する「地鳴らし」を死の直前に立体機動で見下ろしたハンジの「あぁ…　…やっぱり巨人って　素晴らしいな」は、その極みだろう。そう、**この世界は残酷だ……**、そして……**とても美しい**。

4

私達にゃ私達の生き方があるんやから
誰にもそれを邪魔できる理由は無い！

サシャ・ブラウス（第36話「ただいま」）

We got our own way o' livin'!
And no one's got any
reason to stop us!

〝小さな文化〟は〝文明〟の波に飲まれて消えゆく

ウォール・ローゼが破られた報を受け、サシャは自分の故郷の無事を確かめるために、馬で急ぐ。脳裏によぎるのは、入営前のこと。自分たち固有の生活、文化が侵食されていく〝怒り〟だった。サシャの思いを父親は受け止めて、娘を森から出るように説いた。

人里離れた森で育った調査兵団の食いしん坊女、サシャ・ブラウス。訓練兵に応募する前、故郷の村で父親と本質的な問答をしたことがある。「嫌やって！　私達はご先祖様に生き方を教えてもらって生きてきたんやから!!」という彼女の叫びは、**少数民族**ならではの悲痛なものだ。

我々の世界でも、アメリカのネイティブアメリカン、ミャンマーのロヒンギャ族、スペインのカタルーニャ民族など、少数民族は迫害され、同化させられてきた歴史がある。

ここでは日本の**アイヌ**（**民族**）**問題**を取り上げたい。

「アイヌ文化」とは、13世紀以降のアイヌ語を母語とする人々が築いた文化である。さまざまなものに姿を変えて存在するカムイ〈神〉に対するアイヌ〈人間〉は、日本では**蝦夷地**〈**北海道**〉や陸奥国北部〈青森県〉に暮らした。

アイヌはコタン〈集落〉やチャシ〈砦〉を造り、**狩猟、漁労、採集により生活**し、熊の霊をカムイの世界に送る儀式イオマンテ〈熊送り〉を行った。北海道の渡島半島や、津軽半島の十三湊のシャモ〈和人〉と交易をし、その過程で争乱が激化することもあった。

その後、1457年の**コシャマインの戦い**を平定した**蠣崎氏**が勢力を増し、16世紀前半には松前を本拠とし、現地の日本人〈和人・シャモ〉を統一した。

16世紀末、蠣崎慶広が、豊臣秀吉に続き徳川家康からも蝦夷地支配権を認められ、**松前氏**と改姓。アイヌとの交易独占権を保障されて**松前藩**を形成した。

松前藩は徐々に勢力を増し、本州各地の大商人と結んでアイヌ独自の文化や暮らしを浸食していった。1669年の**シャクシャインの戦い**を経て、1789年の**クナシリ・メナシの戦い**がアイヌ最後の抵抗となり、以後、アイヌの屈辱の歴史が始まる。

明治維新後の1871年、戸籍法制定により、アイヌは苗字の使用を強制され平民に編入された。独自の風習や、エゾシカ・クマやサケなどの自由な猟・漁は禁止、農耕と日本語を学ぶ通達がなされた。1878年、アイヌの呼称を「旧土人」に統一。1899年には**北海道旧土人保護法**が制定され、**同化政策**で困窮したアイヌの人々を、差別的な農地配分で農業に従事させていった。1901年、旧土人学校〈アイヌ小学校〉が設置され、言語・文化を将来へ繋ぐことが否定される。1930年、ようやく北海道アイヌ協会が設立されたが、翌年からの〝十五年戦争〟へと突入していった。

長い時が過ぎた1997年、北海道旧土人保護法に代わる**アイヌ文化振興法**が制定された。その後、2008年の北海道洞爺湖サミット開催に先立ち、衆参両院で「アイヌ民族を先住民族とすることを求める決議」を採択、2019年に初めてアイヌを「先住民族」と明記した**アイヌ新法**が施行されたが、居住していた土地、その資源、固有の文化に対する「先住権」が認められたわけではないので、土地は返らない……。

サシャの父母は、王政から対価を受け取る代わりに馬を育てろと言われ、狩りをやめて森を明け渡し、ブラウス厩舎を運営するようになった。悔しい思いを噛みしめながら、世界が繋がっていることを受け入れ、**伝統を捨ててでも一族とともに未来を生きている。**行き場のない子供も快く預かる、素晴らしい厩舎だ。

5

神様？　神様ですか!?
あなたが!?

サシャ・ブラウス（第15話「個々」）

God?
Are you God?!
Are you?!

世界を席巻する3つの一神教の起源は同じ

訓練兵団に入ったエレンたちは、それぞれが過酷な日々を過ごしていた。巨人が壁を破った日のことがフラッシュバックするエレンや厳しい訓練に心を蝕まれていくアルミン――。特に狩人だったサシャは団体生活になじめず、教官に目をつけられていた。

第104期訓練兵としての初っ端（しょっぱな）。整列し、シャーディス教官の恫喝（どうかつ）を受ける「通過儀礼」の最中、調理場にあった蒸かし芋を頬張っていたサシャ。その小さな欠片（かけら）を「半分…どうぞ…」と鬼教官に差し出し、メシ抜き&死ぬ寸前まで走れ、と懲罰を食らう。夜、走り終えて地面に倒れたサシャに、残しておいた自らのパンと水を持ってきたのはクリスタ（本名ヒストリア）である。大感激したサシャが、彼女を**神**と見まがうシーン。クリスタは、初の壁外調査時でも馬を連れてアルミン、ジャン、ライナーの救出に現れ、3人からそれぞれ（神様…）（女神…）（結婚したい…）と心の声を引き出している。名実ともに本作のヒロインだ。

古来、日本では、人間の力を超えた不可思議な自然現象や自然物を総じて**カミ**〈**神**〉と呼んだ。例えば、雷や雨風、海や山川、巨木や巨石などの自然崇拝がそうだ。そして、古墳時代以降に成立した、さまざまな「**八百万神**(やおよろずのかみ)」を祀る**神道**(しんとう)という民族宗教は、固有の教義や開祖を持たない、伝統的な生活習俗の総称である。米粒からトイレまであらゆるものに神は宿り、一族の氏神、出身地の産土神(うぶすながみ)、一定地域の鎮守神なども信仰の対象となった。

海外では、共通の神を崇める**3つの一神教**が有名である。

紀元前6世紀に西アジアのパレスチナで成立した**ユダヤ教**の聖典は、世界の創造から人類の誕生など、さまざまな物語が書かれている『**旧約聖書**』だ。ここに見られる最後の審判を説く終末観などの考え方は、他の一神教の土台ともなっている。ただし、ユダヤ教は、**神ヤハウェ**を信じ、預言者**モーセ**の「十戒(じっかい)」を根幹とする律法を遵守する契約をしたユダヤ人〈イスラエル人〉のみが救世主〈メシア〉により救われる、という選民思想を持っている点で、世界宗教ではなく民族宗教である。

1世紀初頭にユダヤ教から発展した『**新約聖書**』を聖典とする**キリスト教**は、開祖**イエス・キリスト**の名が「**イエスは救世主**〈メシアはギリシャ語でキリスト〉」なので、これが教えの全てを表している。これを信じる人がキリスト教徒で、信じない人は異教徒。

「悔い改めて神の福音（ふくいん）〈エヴァンゲリオン〉を信じなさい」と人々に呼びかけたイエスは、神ヤハウェによる神の愛〈アガペー〉は、無差別・無条件に万人に注がれる無償の愛であると説いた。そしてさらに、人を分け隔てなく愛する隣人愛を実践すれば、公平と正義が実現された神の国が到来し、（出自に関わらず）誰もが救われるとした。

キリスト教は、カトリック、プロテスタント、正教会の3つに大きく分かれる世界宗教で、世界人口78億人中の約25億人と最大の宗教人口を誇っている。

7世紀前半、アラビア半島のメッカの大商人**ムハンマド**は、自分はモーセやイエスを選んだのと同じ**神アッラー**（ヤハウェのアラビア語）によって選ばれた最後で最大の預言者であると自覚し、神に絶対服従するという**イスラーム**の教えを説き始めた。『**クルアーン**〈**コーラン**〉』を聖典とするイスラームは、多数派のスンナ派と少数派のシーア派に大別される世界宗教で、約18億人と第2位の宗教人口を誇り、増え続けている。

他にも、第3位の宗教人口を誇るインドの**ヒンドゥー教**のような、**多神教**の民族宗教もある。ちなみに仏教は第4位の宗教人口を有する、出自を問わない世界宗教である。

中国の儒教を含め、**主要な伝統宗教は全てアジア発**なのは特筆もの。パラディ島発のウォール教は大変なことになってしまったが……、女王ヒストリアは、素敵だ。

6

もし生まれ変わることができたなら…
今度は自分のためだけに生きたいと…
そう…強く願った

ユミル（第40話「ユミル」）

If I could be born again...
I wanted to live my next life
for no one but myself...

生きながらに“神”となることは“人”として不幸なのか

無垢の巨人に囲まれた古城の塔から朝日を眺めるコニーたち。ユミルはコニーからナイフを受け取り、クリスタに自分の想いを伝えると、クリスタは何かの予感を感じた。彼女を振り払い、ユミルは塔の上から「顎の巨人」に変身して、巨人の群れに飛び込んだ。

第104期調査兵団の一人ユミルは、内地でたまたま耳にしたクリスタ・レンズ〈ヒストリア・レイス〉を探し、彼女と同じく訓練兵に応募した。「家から追い出された妾(めかけ)の子」で「名を偽って慎ましく生きる」彼女と、生い立ちが似ていたからだ。

物乞いから大人に拾われて、都合よく利用され、マーレで差別されて暮らすエルディア人たちの教祖的な「ユミル」を演じ続けた彼女は、それで皆が助かるならいいと思ったのだが、いつしか**魔女狩り**のように悪魔扱いされ、マーレからパラディ島の「楽園」に追放されて、「無垢の巨人」となった。

さまよい続けた約60年後、ライナー、ベルトルト、アニとともに「始祖奪還計画」で上陸したマルセル・ガリアード少年を食い、「顎の巨人」の力を手に入れたのだった。

ウォール・ローゼ付近のウトガルド城で、巨人たちに囲まれた明け方、ユミルが巨人化してクリスタに正体を明かす直前の言葉「**お前…胸張って生きろよ**」は、『進撃の巨人』全編を貫く大テーマの一つだ。

この時、自分の命も顧みずクリスタ、コニー、ライナー、ベルトルトを助けた。せっかくマルセルを食って人間に戻れたのだ。上手く立ち回って自分だけ生き残ることもできたはずなのに……。クリスタと出会い、彼女は変わった。

ウトガルト城から救出されたのち、それぞれ「鎧の巨人」「超大型巨人」という正体を現したライナー、ベルトルトにエレンとともに連れ去られるが、ここでも彼らやクリスタのことを考え、自分の事は二の次にして行動する。大人に利用されマーレ戦士として育てられた2人の立場や（ベルトルトの「頼む…誰か…お願いだ……誰か僕らを見つけてくれ…」（12巻第48話「誰か」）という言葉は悲痛である）、巨人の力を手に入れてから13年しか生きられない境遇や、クリスタの未来を気づかい……。とにかく彼女は変わった。

以下は余談になるが、14世紀後半〜15世紀前半にカトリック〈旧教〉で始まったキリスト教世界の「**異端審問**」や「**魔女裁判**」は、悪魔の手先として魔術を行うと見なされた者に行われた裁判で、異端だけでなく、民間の呪術・儀式に対する迫害、ペスト〈黒死病〉といった感染症の流行などを背景としている。ヨーロッパでの魔女狩りは、宗教改革をめぐる新旧両派の対立（＝宗教戦争）を背景に、16〜17世紀に激しくなり、男性も含む10万人以上が処刑された。18世紀の啓蒙思想による普及とともに沈静化している。

また、日本における女性教祖、女性の**イキガミ**〈**生き神**〉といえば、江戸後期〜明治前期の**天理教**教祖**中山みき**（１７９８〜１８８７年）が最も有名だろう。天理教は政府が公認する教派神道十三派に選ばれている。明治〜大正時代の**大本教**教祖**出口なお**（１８３７〜１９１８年）は、娘婿の出口王仁三郎（おにさぶろう）が大きく教勢を拡げ、のち政府と衝突した。

帰還したマーレで、マルセルの弟、ポルコ・ガリアードに「顎の巨人」を継承するために食われて死ぬ瞬間も、ユミルは「**そんなに悪い気分じゃないね**」と思っていただろう。ヒストリアに宛てた最後の手紙は、「私はこれから死ぬ　でも後悔はしてない」とあり、「**好きに生きた。悔いは無い**」とも記されていた……。

7

そもそも「国」ってのが
まだよくわからんな…

パラディ島の高官（第107話「来客」）

I'm confused to understand the definition of a state, indeed.

新しい〝国〟の苦労とそれを虎視眈々と狙う勢力

ヒィズル国代表との交渉は軍政府にとって初めてのことばかりでハンジたちは戸惑っていた。壁の外に人類がいることさえ知らなかった彼らは、〝国〟の概念さえなかった。ヒィズルがパラディ島にコンタクトしたのは、島の地下資源を狙ったものであった。

イェレナやオニャンコポンら反マーレ派義勇兵の協力でパラディ島に港が完成し、初めて外国の要人を迎えた。それが、唯一の友好国ヒィズル国で、その特使として来訪したのがキヨミ・アズマビトだ。

彼女曰く、ミカサは国の一番偉い血筋の生き残りらしいが、そもそもパラディ島の人々は、いい大人の高官たちですら〝**国家**〟というものをイマイチ理解していない……。

我々の世界には190余りの〝国家〟があり、世界人口約78億人のほとんどは、その中のどこかの国民として暮らしている。

国家は、**国民、領域、主権**という「**国家の三要素**」により成り立つ。主権を持つことは、自国を統治する**内政**の責任を負うと同時に、他の主権国家に干渉、支配されない権利（＝**内政不干渉の原則**）と、互いに対等である権利（＝**主権平等の原則**）を持つことを意味している。また、領土を侵略されない権利（＝**領土不可侵の原則**）や**自衛権**〈個別的＆集団的〉も当然あり、国家間の関係は、**外交**によって成り立っている。

主権が及ぶ範囲である領域は、**領土、領海、領空**から成るが、南極大陸や宇宙空間は、どの国の領域にも属しない。領海の外には、海底の大陸棚を含む排他的経済水域（ＥＥＺ）があり、日本は領土面積は世界61位だが、領海と排他的経済水域を合わせた海洋面積は、世界６位の広さを持つ。そのさらに外は公海と呼ばれ、どの国の船でも自由に航行や操業ができる（＝**公海自由の原則**）。

主権国家は、国の象徴や国民の誇りとして、歴史、文化、思想を反映させた**国旗**と**国歌**を持つ。日本では、１９９９年に国旗・国歌法が制定され、「日章旗〈日の丸〉」が国旗、「君が代」が国歌と正式に定められた。

国家が尊重し合うためには、互いに国旗、国歌に十分な敬意を表さなければならないのは当然だが、**国際社会**には、守らなければならないルールが大きく分けて２つある。

ひとつは、すでに書いた内政不干渉の原則、主権平等の原則、領土不可侵の原則、公海自由の原則や、民族自決の原則（進むべき道や問題解決はその民族が自主的に決定できる権利）、外交特権（外国人が滞在国の裁判権や警察権などを免れる権利）のように、長い間の慣行が法となった**国際慣習法**だ。

もうひとつは、二国間や多国間で文書により合意する**成文国際法**〔**条約**〕だ。条約には、協定、協約、議定書・宣言・憲章なども含まれる。

この2種類を合わせて**国際法**といい、これは、互いの主権を尊重し合うためだけでなく、国際社会全体で利益を共有するためにも重要である。しかし、国際法は、国内法と違い統一的な立法機関を持たず、強制力、拘束力が弱い状態だ。

各国には、国際法を尊重して**国際協調**を維持し、向上させていくことが求められている。国家間の争いを解決するために、国際連合には国際司法裁判所（ＩＣＪ）が置かれている。ただし、ここで裁判を行うには、紛争当事国の同意が必要なため、全ての争いが裁判によって解決されているわけではない。このことは、国際社会の大きな課題となっている。

以上のような教育を誰も受けてこなかったのが、パラディ島である……。

8

パラディ島の人々にはその地下資源の真価を知る由もないでしょうが

ジーク・イェーガー（第107話「来客」）

There is no way to know the true value of underground resources in this island.

限りある資源の独占は、〝均衡〟を崩し、波乱を招く

ジークからの密命を受けてパラディ島勢力に力添えをしようと申し出たアズマビトたち。古来より経済活動に長ける彼らの目的は、パラディ島にしかない資源〝氷爆石〟の独占だった。ジークの思惑とアズマビトの提案に、エレンたちの心は揺れていく。

「獣の巨人」ジーク・イェーガーが、アズマビト一族のキヨミに、ある取引を持ち掛ける。王家の血を引く自分を、残された時間以内にパラディ島に送還し、「始祖の巨人」の力を持つ義弟エレンと引き合わせることに協力してくれるなら――。**未知の資源**〝氷爆石〟などの利権（島には他の地下資源や水資源も豊富にある）を得られる、そうすれば、衰退したヒィズル国は大国に返り咲くほどの産業を手にするでしょう、と。

我々が暮らす地球上の**資源**には限りがある。電気、ガスなどの生活に欠かせない**エネルギー**資源のうち、多いのは**石炭、石油、天然ガス**などの**化石燃料**で、世界のエネルギー消

費の8割以上を占める。特に石油は、1960年前後に石炭から主役の座を奪い「**エネルギー革命**」と呼ばれた。これらの資源は、埋蔵量に地域的な偏りがあり、採掘できる年数も限られる。また、二酸化炭素などの温室効果ガスも排出してしまう。

エネルギー消費量は、途上国を中心に増え続けている。そこで、燃料電池やハイブリッドカーなど、**省資源・省エネルギー技術**の開発が進められるとともに、頁岩（けつがん）という化石層から採掘される**シェールガス、シェールオイル**や、メタンを主成分とする〝燃える氷〟**メタンハイドレート**、とうもろこしやさとうきびからエタノールを作る**バイオ燃料**など、石油や天然ガスの**代替エネルギー**となる新たな資源の開発も注目されている。

ジークがキヨミに持ち掛けた取引の「おいしさ」を解って頂けるだろうか？　そりゃヨダレも出てしまいますわ、という儲け話なのだ。

温室効果ガスの排出削減が求められる中、資源の調達が難しい日本では電力の確保が重要な課題になっている。

特に1970年代の2度にわたる**石油危機**〈**オイルショック**〉以降、日本をはじめとする先進国では、**火力発電**に頼りすぎない意識を強く持つようになった。

原子力発電は、海外から安定的に**ウラン**を供給でき、少ない燃料で多くのエネルギーを取り出せる。また、発電時に二酸化炭素を排出しない。しかし、2011年の**東日本大震災**では、**東京電力福島第一原子力発電所**で地震や津波による事故が起こり、大量の放射性物質が放出され、大きな被害が出た。この事故を受け（以前からアメリカの**スリーマイル島**や旧ソビエト連邦・ウクライナの**チェルノブイリ**で原発事故はあったが）、日本のエネルギーの在り方について、改めて議論が起こり、全国の海岸沿いに60基近くある原発は、停止や検査、廃炉や廃止が相次ぎ、2021年3月現在、6基しか運転していない。

一方、資源確保の必要も枯渇の心配も少なく、大気汚染や廃棄物処理の問題もないクリーンなエネルギーとして、従来からの**水力**に加え、**太陽光、風力、地熱、波力**（はりょく）**、バイオマス**（**生物資源**）などの**再生可能エネルギー**を利用した発電の普及が進められている。2011年には、再生可能エネルギー特別措置法が制定され、各家庭で発電した再生可能エネルギーを電力会社が買い取ることを義務づけた。しかし、現在の技術では**費用が高い**ことが問題だ。また、太陽光および風力発電は、自然条件に左右され**安定供給が難しい**こと、地熱発電は、自然や観光施設との共存が必要なことなどの課題がある。

ヒィズル国、いや、現代の日本にこそ「氷爆石」が必要なのだ。

9

この…血に塗れた愚かな歴史を
忘れることなく後世に伝える責任はある

テオ・マガト（第128話「裏切り者」）

We have some responsibility to telling the truth of this bloody and stupid history to the next generation.

次の世代によりよい世界を残すためにできることは何か

マーレのマガトたちとハンジたちは地鳴らしを止めるために手を組み、アズマビトの飛行艇でマーレに渡ろうとしていた。しかし、港はフロックらイェーガー派に占拠されていた。すでに地鳴らしはマーレに及んでおり、時間は残っていなかった。

マーレ陸軍エルディア人戦士隊を率いる、マーレ人のテオ・マガト元帥(げんすい)が、戦士隊、反マーレ派義勇兵、調査兵団の若い面々を前に、悔悟(かいご)の言葉を続ける。彼に限らず旧世代の大人は、エレンと始祖ユミルによる「地鳴らし」が始まった世界の最終局面において、自分たちの責任を痛感している。せめて、新世代や将来の世代には、憎しみの連鎖を続けさせてはならない、まともな世界を生きていってほしい、と……。

「**持続可能性**〔**sustainability**〕」は、現代社会最大のキーワードである。「持続可能な開発目標〔Sustainable Development Goals =ＳＤＧｓ〕」という言葉を聞かない日はない。

2020年以来の新型コロナウイルス感染症の大流行により、ボーダーレス化の動きは一時的に止まったが、〝国境なき〟グローバル社会においては、従来の「国家の安全保障」に加え、一人ひとりの生命や健康、安全を守る「**人間の安全保障**」が重要となる。

2000年、国連本部のあるニューヨークで「国連ミレニアム・サミット」が開かれ、そこで採択した「国連ミレニアム宣言」に基づき、2001～2015年の「**MDGs**〔**ミレニアム開発目標**〕」が8種類設定された。期限の2015年には、再度「国連持続可能な開発サミット」が開かれ、そこで採択した「持続可能な開発のための2030アジェンダ」に基づき、2016～2030年の「**SDGs**〔**持続可能な開発目標**〕」が17種類設定されている。それは、①**貧困**をなくす、②**飢餓**をゼロにする、③**保健と福祉**を確保する、④**質の高い教育**を提供する、⑤**ジェンダー平等**を達成する、⑥**水とトイレ衛生**を確保する、⑦**近代的なクリーンエネルギーへのアクセス**を確保する、⑧**働きがいと経済成長**を両立する、⑨**産業と技術革新の社会基盤**をつくる、⑩**各国内・各国間の不平等**をなくす、⑪**持続可能な都市・居住環境**を実現、⑫**つくる責任とつかう責任**を自覚する、⑬**気候変動**とその影響の軽減、⑭**海洋とその資源**の保全、⑮**陸地とその資源**の保全、⑯**平和と公正**をすべての人に、⑰**地球規模のパートナーシップ**の活性化、である。

2030年に、世界中の全世代の皆で、目標達成度を確認し合いたいものだ。

イェーガー派の増援を乗せた列車を爆破し、食い止めたのは訓練兵団教官（第12代調査兵団団長）のキース・シャーディスである。彼は、マガト元帥と協力して殿を務め、乗り込んだ巡洋艦を港で自爆させ、追手を防ぐ。**マーレ人の旧世代マガトと、エルディア人の旧世代シャーディスは、若い新世代とこれから生まれてくる将来の世代に未来を託す。**

マガトは想う。「自分を誇ることなどできない…　自分の良心に気付いておきながら戦士隊の子供達を国の都合のいいように指導し　壁を破壊するよう命じた　最後にようやく気付いた…**あの子達がただ普通に生きることができたら…**俺はどんなに嬉しかったか」

キースは想う。以前、赤子のエレンを抱いた母カルラに言われた「特別じゃなきゃいけないんですか？　絶対に人から認められなければダメですか？　私はそうは思ってませんよ　少なくともこの子は…偉大になんてならなくてもいい　人より優れていなくたって…　だって…見て下さいよ　こんなにかわいい　だからこの子はもう偉いんです。**この世界に、生まれて来てくれたんだから**」という言葉を痛感する。そうだ、そうなのだ。

マガトとシャーディスは、新世代の教え子たちの成長に胸を震わせながら、彼らを守り、ともに壮絶な最期を遂げたのだった。

10

いいじゃねぇか！　お前はお前で!!
お前の言葉で話せよ！

ユミル（第36話「ただいま」）

Isn't it okay just being you?!
Talk to me in your own words!

「標準語」を「作る」運動はことごとく失敗してきた

サシャは、自分が育った土地の言葉を隠して、常に敬語で話してきた。それは自分自身へのコンプレックスから来る、他人への遠慮と地方出身者であることを隠すためだった。明治維新後、新政府が「標準語」を定めようとするが、ことごとく失敗してきた。

故郷の言葉が恥ずかしく、誰にでも常に敬語で話すサシャへのユミルの言葉。地方出身者には特に刺さる言葉。今回は**47都道府県の方言**を楽しんでもらおう。

①**北海道地方**　北海道「**なまら**」(**とても**)、「へっぺ」(性行為)。

②**東北地方**　青森県「じょっぱり」(強情者)、「け」(食べなさい)、「く」(食べる)、「め」(美味しい)。岩手県「おしずかに」(気をつけて)、「じぇじぇじぇ」(びっくり)。宮城県「おしょすい」(恥ずかしい)、「おれさま」(雷)、おはよう靴下(穴あき靴下)。秋田県「へば」(では)、「**でらっと**」(**全部**)、「はんかくせえ」(馬鹿馬鹿しい)、「がっこ」(漬物)。山形県「かます」(かきまわす)。福島県「さすけね」(大丈夫)。

③**関東地方**　茨城県「ぱすぱす」（ギリギリ）。栃木県「えっちかる」（座る）。群馬県「ぶっこぬき」（そっくり）。埼玉県「うちゃる」（捨てる）。千葉県「ちっくり」（チビ）。東京都「**べらぼう**」（**とても**）。神奈川県「～じゃん」（～ではないか）。

④**中部地方**　新潟県「しょーしい」（恥ずかしい）。富山県「きときと」（新鮮）、「だら」（馬鹿）、「だいてやる」（奢ってやる）、「ちんちんかく」（正座する）。石川県「つぇーげん」（強いんだ）。福井県「ほや」（そうだ）、「いけー」（大きい）、「つるつる一杯」（ギリギリ一杯）。山梨県「～ずら」（～でしょう）、「もちにいく」（取りに行く）。長野県「あばー」（さよなら）。岐阜県「こわい」（恥ずかしい）。静岡県「うちっち」（私ら）、「ちんぷりかく」（怒る）。愛知県「**でら**」（**とても**）、「たーけ」（バカ）、「ケッタ」（自転車）。

⑤**近畿地方**　三重県「ささって」（3日後）。滋賀県「ほっこり」（うんざり）。京都府「はんなり」（上品で明るく晴れやか）。大阪府「いちびる」（調子に乗る）、「イキる」（いきり立つ）、「にぬき」（ゆで卵）、「**シュッとしてる**」（**最高の褒め言葉**）。兵庫県「べっちょない」（大丈夫）。奈良県「もむない」（美味しくない）、「おとろしい」（面倒な）。和歌山県「もじける」（壊れる）、「ぶらくり」（ぶらぶら）、「水せった」（ビーチサンダル）。

⑥**中国地方**　鳥取県「もえる」（増える）。島根県「だんだん」（ありがとう）。岡山県

「**ぼっけえ**」（**とても**）、「きょうてえ」（怖い）。広島県「～じゃけえ」（～だから）、「じゃあの」（バイバイ）。山口県「しわい」（しつこい）、「てれんこぱれんこ」（だらだら）。

⑦**四国地方**　徳島県「へらこい」（ずるい）。香川県「うまげ」（素敵）、「むつごい」（味が濃い）。愛媛県「～なもし」（～でございますね）、「いいえのことよ」（どういたしまして）。高知県「～ぜよ」（～だ）、「**げに**」（**本当に**）。

⑦**九州・沖縄地方**　福岡県「**ばり**」（**とても**）、「せからしか」（面倒くさい・うるさい）、「くらす」（喰らわす・殴る）。佐賀県「がばい」（ものすごい）、「えすか」（怖い）、「やーらしか」（かわいい）。長崎県「さるく」（歩く）。熊本県「とぜんなか」（さびしい）、「むしゃんよか」（格好いい）。大分県「ちちまわす」（殴りまくる）。宮崎県「ずんだれ」（だらしない）。鹿児島県「おじゃったもんせ」（お越しください）、「議を言う」（文句を言う）、「～もす、～ごわす」（～ます）。沖縄県「～ちゅ」（～人）、「**ちゅら**」（**美しい**）、「だからよー」（そうだねー）、「はいさい」（こんにちは）

新聞やTVニュースもあまり見なくなった「標準語」。あやふやで新語も出ては消えていくが、各自の故郷の言葉は貴重だ。風景と違い、変わらず残すことができるので大切にしていきたい。

笑いの言葉

皮膚無いとクッッソ熱ッいぜ!!
これ!!
すッッげぇ熱いッ!!

――ハンジ・ゾエ(第26話「好都合な道を」)

もしくはこいつを
奴らのケツにぶち込む!!
弱点はこの2つのみ!!

――ライナー・ブラウン
(第9話「心臓の鼓動が聞こえる」)

君…本当は…男の子なんだってな
君のせいで……俺は…俺は普通だったのに…
君のせいで今大変なんだから

――リーブス商会の下っ端(第54話「反撃の場所」)

今日も凄いな…
この足の感じだと今日は「雪」か?

――コニー・スプリンガー(第97話「手から手へ」)

ハハハハハ
どうだー私は女王様だぞー!?
文句があれば――

――ヒストリア・レイス(第69話「友人」)

エレンの家ぇぇがあああああ

――コニー・スプリンガー
(第79話「完全試合(パーフェクトゲーム)」)

『進撃の巨人』におけるコメディリリーフの役割は、主にコニーとサシャに割り振られる。巨人という恐怖が身近にある世界で、この2人は単独で、時にはコンビでコミカルなシーンを見せてくれる。他の第104期のメンバーも、何らかの形で笑いをとっている。カタブツのイメージの強いエレンだが、父グリシャの記憶がよみがえった時のポーズを、ハンジに「中2病」的なものとしてからかわれている。

第2章　世界史から読み解く「進撃の巨人」

11

夢のカードが！

サシャ・ブラウス（第44話「打・投・極」）

Great match up we wanted to watch.

両雄並び立たずというが、その実力を測ってみる

エレンは、自分たちが「巨人」であることを告げたライナーとベルトルトと肉弾戦となる。顔面が破壊されるほどのパンチを喰らったエレンは、訓練兵団時代の格闘術の訓練を思い出していた。訓練兵団で強かったのは、エレンでもライナーでもなく……。

正体を明かしたばかりの「鎧の巨人」ライナーと殴り合うエレンの巨人。渾身の右ストレートでぶっ飛ばされ、エレンの脳裏に訓練兵時代の走馬灯が走る。結果はよく思い出せないが、対人格闘訓練時にミカサvsアニが行われたことがある……。最強と目される2人の同門対決に、周囲は大騒ぎである。

シチュエーション的に普通はあり得ない夢のカードは、歴史上にも、各格闘技・スポーツ上にも多数存在する。コーヒーブレイクのつもりで、何例か挙げてみたい。

中国なら3世紀前半、『三国志』蜀の剛将**関羽雲長vs張飛益徳**(えきとく)。青龍刀と蛇矛(じゃほこ)の切った

張ったを見てみたいが、叶わぬ夢だ……。張飛が本気で〝義兄〟の関羽に向かって行くわけがない。また、20世紀の**毛沢東VS周恩来**の闘争も興味深い。どう考えても優秀さや人望では周だが、狂気的なパワーという点では毛か。

ヨーロッパなら、16世紀の「宗教改革」**ルターVSカルヴァン**。共通の仮想敵カトリック教会がなければそこまで合うとは思えない2人だけに、面白そうだ。

続いて18世紀の**ルソーVSカント**。かたやパリの路上で尻を露出して逮捕され、かたやケーニヒスベルクの街から一歩も出ず毎日定時に散歩するだろうから、対決が想定しにくい。もはやカントお決まりの散歩ルートに、ルソーを連れていくしかないだろう。住民はカントの散歩を見て時計を合わせたと言われるが、彼は生涯一度だけ散歩に遅れたことがある。それは、ルソーの『エミール』に時間を忘れて熱中してしまった時であった。次はぜひルソー作曲『むすんでひらいて』を聴きながら散歩して欲しい。そしてルソーはカントを尻で驚かせ、カントの帰宅を早めて頂きたい。

19世紀の「共産主義」**マルクスVSエンゲルス**。これは兵糧攻めで2歳下の友人エンゲルスの圧勝だろう。20世紀の「ファシズム」**ムッソリーニVSヒトラー**はどうだろう。黒シャツ隊と突撃隊〔SA〕なんて想像するだけで興奮してしまう……。

中米なら、20世紀の**カストロvsゲバラ**。キューバ革命が未達になるのでお勧めはできないが……。ぜひ野球で決着を。

キリがないので日本に移ろう。10世紀なら**平将門vs藤原純友**(すみとも)。関東と瀬戸内海で離れすぎており出会うのは難しい。比叡山で相談し合ったという「将門岩」は当然ガセネタ。

12世紀なら**源頼朝vs源義経**。おそらく和解を装い、鎌倉に大喜びで出てくる哀れな弟を頼朝が集団で暗殺して勝ちだろう。武蔵坊弁慶はどのみち立往生するしかない。

13世紀なら**日蓮vs一遍**。熱く法華経を語る日蓮に、「それより僕と踊りませんか?」と一遍が話しかける瞬間の緊張感は、ドキドキの極みである。

19世紀なら**伊能忠敬**(ただたか)**vsシーボルト**。まさか自分の死後、このドイツ人医師が『大日本沿海輿地**(よち)全図〈伊能図〉』を日本から持ち出そうとするなどとは、思いもよらないはず。

20世紀なら**ジャイアント馬場vsアントニオ猪木**、21世紀なら**吉田沙保里vs伊調馨**(かおり)か。

夢のカードは尽きないが、あの時のミカサvsアニはどうなったのかが気になるところ。

著者の諫山創(いさやまはじめ)氏は、質問コーナーにおいて「**戦いの途中でシャーディス教官が来て勝敗がつかなかった**」と回答しているそうだ。

のち、ミカサvs「女型の巨人」として色んな意味でズタズタの対決は続く……。

12

すべてを失うべきは
我々かもしれません…

エルヴィン・スミス（第56話「役者」）

It could be that we're the ones who deserve to lose it all...

情報のない壁の中で人類はどんな夢を見るのか？

調査兵団と中央憲兵隊・王政府の対立は進み、エルヴィンは駐屯兵団のピクシス司令にクーデタについて告白する。混乱する壁内の状況を鑑みるピクシスだが、その責の重さに即断はできない。ためらうピクシスに、エルヴィンは教師だった父が抹殺されたことを話す。

巨人に右腕を食われ隻腕（せきわん）となった調査兵団のエルヴィン団長が、壁の強化に努め各街を守る駐屯兵団のピクシス司令と向かい合い、話している。

真の王家である**レイス家**の当主ロッド・レイス。ヒストリアの実父にして、**壁の中の実質的指導者**。その身柄を確保し、対話を図るという。エルヴィンの決意は固い。

「なぜ我々が争う必要があるのか？　巨人により同じ脅威に晒（さら）される者達同士がなぜ一丸となって助け合えないのか……とはいえこちらも無知は承知　もし…ロッド・レイスが我々や市井の人々を見捨て…**壁外への進出を拒み…技術の発展を阻止する　その行為に納得しうる意味があるのなら…**」

ピクシス司令は問う。

「退くはお主らか？」

「そうです」

とエルヴィンは受け、表題の言葉となる。

国民に「外の世界」を見せないようにしようとする支配者の典型は、社会主義の独裁的指導者である。今や社会主義国は世界に5カ国となった。そのうち、習近平の中華人民共和国と、ベトナム、キューバ、ラオスは、経済面で市場経済を導入し、「外の世界」に扉を大きく開き、内政に思想面のみを残しているにすぎない。

世界で唯一、思想面も社会主義、経済面も計画経済という純然たる社会主義国として存在するのは、**朝鮮民主主義人民共和国**（**北朝鮮**）である。その最高指導者は金家。〝白頭山の虎〟反日の英雄である**金日成**（キムイルソン）による（ソ連を後ろ盾とした）1948年の建国以来、**金正日**（ジョンイル）（子）、**金正恩**（ジョンウン）（孫）へと、その権力は継承されてきた。

そもそも左翼、左派、革新思想とも呼ばれる「社会主義」とは何か？

一言でいえば「結果の平等」を信じる理想主義である。また、唯物論の立場から、神や仏の存在を否定する。

ドイツの**カール・マルクス**（1818〜83年）は、そもそも自由競争を求める資本主義では、資本家（ブルジョワジー）と労働者（プロレタリアート）に大きな格差が生じることは避けられないと考えた。そして、『**資本論**』を著し、労働者階級は、能力に応じて働き、必要に応じて富を受け取る平等社会を目指すべきで、そのために社会革命（プロレタリア革命）を起こすべき、と説いたのだ。マルクスと、彼を支えた盟友の**フリードリヒ・エンゲルス**（1820〜95年）は、社会主義が高じたものを共産主義と呼び、『**共産党宣言**』を共同執筆した。

このマルクス主義の影響を受けてレーニンがロシア革命を起こし、スターリンが体制を強化したのがソビエト連邦である。その影響下に成立した北朝鮮は、1989年の東西冷戦終結や1991年のソ連解体にもめげず、世界で唯一の社会主義体制を維持し、**金家は国民の情報を遮断して君臨**し、今や世界で9番目の核保有国となった……。

心身ともに壁内、国内に留まる人々が幸せかどうかは、最終的に本人たちが決めることである。ただし、そこで大事なのは、エルヴィンの言うように……指導者との対話なのだ。

13

私には夢があります

エルヴィン・スミス（第62話「罪」）

I have a dream.

〝夢〟の代償として〝犠牲〟を乗り越える強さ

「ウォール・ローゼが突破された」という虚報をきっかけに、クーデタが起こり、兵団主導で政権が運営されることになった。中心人物であるエルヴィンの心には、〝壁内人類の謎〟を解明したいという亡き父から続く〝夢〟があった。

エルヴィン団長の処刑直前に調査兵団の冤罪(えんざい)は晴れる。王都も行政区もザックレー総統が押さえ、現体制であるフリッツ王政の崩壊と、当面の統治形態の維持が宣言された。帰途、馬車の中でザックレーは、王に銃を向けた理由を「昔っから王政が気にくわなかったからだ」と吐き捨てる。彼は、この革命が人類にとって良いか悪いかなどには興味がないのだ。

「しかしそれは君も同じだろ?」

「君は死にたくなかったのだよ　私と同様に人類の命運よりも個人を優先させるほど　君の理由は何だ?」

と問われたエルヴィンは、「私には夢があります」と答える……。

エルヴィンの夢は、「今から107年前　この壁に逃げ込んだ当時の人類は　王によって統治しやすいように記憶を改竄された」という、教員だった父の仮説を証明することである。そして、自分の喋りすぎが結果的に密告となり、王政に粛清された父への贖罪（しょくざい）のため、エレンの家の地下室で「この世の真実が明らかになる瞬間に立ち会う」ことだ。

我々の世界で「夢がある」といえば、アメリカの**マーティン・ルーサー・キング・ジュニア**〈**キング牧師**〉（1929～1968年）である。

キング牧師は、やはりプロテスタントの牧師だった父の子として、ジョージア州に生まれた。学生時代に「インド独立の父」ガンディー（1869～1948年）の非暴力・不服従という考えに触れて大きな影響を受け、黒人差別の根強いアラバマ州の教会に赴任し、**黒人解放運動**の指導者となった。

1955年、モンゴメリー市の公営バスの白人優先席に座っていた黒人女性ローザ・パークスが、後から乗車してきた白人に席を譲らず、市の条例違反で逮捕された。これをきっかけに、キング牧師らが、バス座席における人種隔離政策に抗議し乗車を拒否する

「**バスボイコット運動**」を呼びかけ、全米で大きな話題を集めた。

当時、バスの主な利用者は黒人だったため、乗客が激減して運営元である市の財政状況が悪化。1年以上のボイコットを経て、ついに連邦最高裁判所でモンゴメリー市の差別政策を違憲とする判決が出された。非暴力の直接行動により、運動は成功を収めたのである。

この成果を受け、キング牧師が主導者となり、選挙権の獲得や人種差別の撤廃を求める**公民権運動**が盛り上がっていく。1963年、全米から20万人以上の支持者が首都ワシントンDCの記念塔広場に集結して「**ワシントン大行進**」を実施、公民権運動の成功を祈った。ここで、キング牧師は「**私には夢がある（I Have a Dream）**」を繰り返す名演説を行い、参加者のみならず世界中に深い感動を与えた。驚くことに、当時34歳の若さだった。

このような活動の結果、1964年に公民権法が制定され、公的な機関・場所における人種差別が禁じられることになり、キング牧師は、同年ノーベル平和賞を受賞した。その後も、ベトナム反戦運動や、貧困に苦しむ人々への仕事を要求する「貧者の行進」などに身を投じたが、1968年、演説中に暗殺され39年の生涯を閉じた。

エルヴィン・スミスは、父との夢を実現することなく、巨人との戦場に散った。人道主義者のキング牧師に対し、個人主義者としての悔恨に包まれていたが、潔い最期だった。

14

それが誰だって！
どこにいたって！
私が必ず助けに行く!!

ヒストリア・レイス（第66話「願い」）

No matter who!
No matter where!
I'll come to the rescue!!

やさしさと行動がともなってこそ人を救うことができる

礼拝堂の地下の洞窟で捕らわれたエレンはヒストリアに食われ、巨人の力が受け継がれるはずだった。しかし、ヒストリアは巨人になることを拒否し、エレンを助け、自分の思うままに生きる決意をする。

レイス卿の領地内にある礼拝堂の地下は、とんでもない広さの空洞になっている。約100年前に「始祖の巨人」が造った、光り輝く洞窟だ。

絶望し、自分を喰ってすべて終わらせてくれ、と頼むエレンにヒストリアは……。

「私は人類の敵だけど…エレンの味方　いい子にもなれないし　神様にもなりたくない

でも…自分なんかいらないなんて言って泣いてる人がいたら…そんなことないよ　って伝えに行きたい」

それがエレンじゃなく誰であっても、どこにいても自分が助けに行く!!

これほどの**ヒューマニスト**〈**人道主義者**〉が、この世界にいるだろうか？

20世紀のヒューマニストの、ベスト3を挙げよう。

1人目は、イギリス領インド帝国生まれの「偉大なる魂〈マハトマ〉」、**ガンディー**だ。裕福な家庭に生まれた彼は、ロンドンに留学後、商社の顧問弁護士として南アフリカに渡り、**アパルトヘイト〈人種隔離政策〉による差別を自ら経験**し衝撃を受ける。以後、約20年にわたり差別撤廃を求める非暴力抵抗運動を組織し、一定の成功を収めた。1915年、**インド**に戻り、**独立運動**を主導する。彼は、サティーヤグラハ〈真理の把握〉を根本理念とし、具体的にはブラフマチャリヤー〈自己浄化〉とアヒンサー〈不殺生〉を説いた。ガンディーは、スワラージ〈自治独立〉、スワデーシ〈国産品愛用〉をスローガンに、**非暴力・不服従**の態度で運動を指導し、1947年にインド独立を達成した。

2人目は、ドイツ帝国生まれの医師、**アルベルト・シュヴァイツァー**（1875〜1965年）だ。プロテスタントの牧師の子として生まれた彼は、**フランス**で神学、哲学を修め、オルガン奏者としての名声もあったが、30歳で医学の道を志す。38歳の時、妻を伴い**アフリカ奥地〈現在のガボン〉**に渡り、以後約50年間、医療活動とキリスト教伝道に生涯を捧げ、「**密林の聖者**」と呼ばれて、現地だけでなく世界の人々から尊敬を集めた。彼は、「**生命への畏敬**」を説き、1952年にノーベル平和賞を受賞している。

3人目は、オスマン帝国、現在の北マケドニア生まれの修道女**マザー・テレサ**（1910〜1997年）だ。18歳でカトリックの修道女となり、翌年、**インド**に派遣され、教育や宣教活動に従事した。のち、コルカタのスラム街（貧民窟）に入り、子どもたちのための青空教室などを始める。その後、貧困や病気で死にそうな状態にあり、見捨てられた人々のための「死を待つ人々の家」や「孤児の家」、ハンセン病患者のための「平和の村」などの施設を設立し、現地の人々への支援に生涯を支げた。彼女は、**他者の無関心**がもたらす孤独感こそが、最貧困層の人々の苦しみの本質であると考え、キリスト教の隣人愛を世界に呼びかけ、自ら実践したことで、1979年にノーベル平和賞を受賞している。また、死の6年後の2003年に、ローマ法王ヨハネ・パウロ2世はマザー・テレサの徳と聖性を認め列福し、2016年には現ローマ法王フランシスコが彼女を列聖している。

口で言うだけなら誰でもできる。**行動を伴う人**こそがヒューマニストだ。ヒストリア・レイス（クリスタ・レンズ）は、確かにサシャ、アルミン、コニー、ライナー、ユミル、エレンら……いや、あらゆる場面で他人のために動いてきた。父ロッド・レイスを除いて。彼女こそ、真の王にふさわしいのかもしれない。**God Save the Queen...**

15

そう…この世で一番偉いのは
この世で一番強い奴のことを示す

ケニー・アッカーマン（第69話「友人」）

Being the most important person in this world means that you're the most powerful person in it.

どこまでも力に頼る者は頂点に立つことはできない

レイス家の地下洞窟で調査兵団と戦った中央憲兵団対人制圧部隊は、混乱の中で命を落とした。憲兵たちを率いるケニーは瀕死の重傷を負い、リヴァイが来るのを待っていた。自身の命が燃え尽きようとする時、ケニーはウーリとの出会いを思い出していた。

「切り裂きケニー」の異名を持つケニー・アッカーマン。いつしか真の王ウーリ・レイスに従うようになった若い頃の彼に、サネスが「なぜ王の下に降った？」と問う。「俺は……さぁな…多分… **奴が一番強ぇからだ**」と答えた後の、心のつぶやきが表題の言葉である。

地下街の娼館で病死した妹クシェルの忘れ形見、のちの「人類最強の兵士」リヴァイ少年に、生きる術や戦闘術を教え込んだ男。伯父だということは明かしていない。（**力さえありゃいいんだよ** 少なくとも妹みてぇな最期を迎えることはねぇだろうからな）

かつてのアッカーマン一族は、エルディア王側近の武家だった。「始祖の巨人」の力を持つ王や要人を護衛するため、人の姿のまま、一部巨人の力を引き出せるように設計された。その名残で誰かを宿主と認識した途端、血に組み込まれた習性が発動する。極限まで身体能力が高められるだけでなく、「道」を通じて過去のアッカーマン一族が積み重ねてきた戦闘経験までをも得ることができる。これが本家の男系を継いだケニーや女系でつながる甥のリヴァイ、そして分家であるミカサの異様な戦闘能力の秘密だ。彼らが登場人物中、生身で戦えばおそらく最強だろう。

「最強」と聞いて誰を思い浮かべるだろうか。

三国史時代の中国なら**呂布奉先**。方天画戟(ほうてんがげき)を振るう彼に敵う(かな)人間は、中国四〇〇〇年の歴史の中で絶無だろう。ヨーロッパならギリシャの**アキレス**、カルタゴの**ハンニバル**、スペインの**エル・シッド**、イギリスの**獅子心王**、**リチャード1世**に**エドワード黒太子**。ドイツの**ヴァレンシュタイン**……と有望人材だらけ。

日本なら戦国時代の**塚原卜伝**(ぼくでん)に**上泉**(かみいずみ)**信綱**、それに続く**伊藤一刀斎**に**宮本武蔵**。幕末の三剣士**男谷**(おだに)**精一郎**、**大石進**(すすむ)、**島田寅之助**に**山岡鉄舟**(てっしゅう)もいる。

戦後で考えてみよう。

ボクシングならアメリカの**モハメド・アリ**に**マイク・タイソン**。レスリングならロシアの**アレクサンダー・カレリン**と**吉田沙保里**。柔道の**木村政彦**（力道山には負けたが……）、総合格闘技の**ヒクソン・グレイシー**。異論は認める。

いつまでも考えられるほど楽しいが、「最強」が見る景色は凡人には想像もつかない。

ケニーはその後、中央憲兵団対人制圧部隊（対人立体機動部隊）の隊長を務めることになる。隊員たちには、この世界を盤上ごとひっくり返すという夢を語った。

結局、夢は達成できず、ロッド・レイスの巨人化に巻き込まれ、瀕死の重傷を負い、森で木にもたれかかる。死期が近づく彼が思い出したのは、生涯で唯一、力で敵わなかったウーリ・レイス王の記憶だ。

（この世に俺より強ぇ奴がいるなんて思いもしなかった　これが巨人って奴か…本当にいやがったとは　それも壁の中に…）

強さを求め続けた彼は、自分より強い者に出逢い、幸せだったのではないだろうか？

甥であるリヴァイに巨人の脊髄液を託しケニーは絶命した。もう何にも酔っていなかった。

16

これが…　パラディ島の悪魔!!

ポルコ・ガリアード（第102話「後の祭り」）

Are you the real devils of Paradis!!

巷間から響くもう一つの〝名前〟はどう耳に響くのか

エレン主導によるマーレ襲撃に参加したパラディ島勢力は、パラディ島への宣戦布告のセレモニーに強襲をかけて、マーレに大打撃を与えた。抗戦するポルコは「顎の巨人」に生身で向かってくるリヴァイ達に恐怖を感じる。

「獣の巨人」ジークをパラディ島に連れ帰るため、3年間の反マーレ義勇兵たちとの協力の末、海を渡りマーレに上陸し、レベリオ区を襲撃した**調査兵団**！

エレンは巨人化し、タイバー公の妹が持つ「戦槌の巨人」の力を奪おうとする。

ライナーの帰還と共にマーレに来たユミルを食い「顎の巨人」を継承したポルコ・ガリアード。

立体機動装置を駆使し、人間の姿のまま巨人の自分を殺そうとしてくる調査兵団と戦いながらの、彼の心のつぶやきが、表題のものだ。噂には聞いていたが、まさか……。

「**二つ名**〈**異名、ニックネーム**〉」とともに人名や団体名を覚えていくのは、楽しく記憶が定着しやすい。作中でも「人類の翼」（調査兵団）、**「人類最強の兵士」**（リヴァイ・アッカーマン）、**「死に急ぎ野郎」**（エレン・イェーガー）などが効果的に使われている。

今回は、肩の力を抜いて、我々の世界での傑作ともいえる厳選例を楽しんで頂こう。

海外女性なら**「傾国の美女」**（楊貴妃）、「血まみれメアリ〈ブラッディ・マリー〉」（イギリス女王メアリー1世）、「処女王」（イギリス女王エリザベス1世）、「オルレアンの娘」（フランス軍人・聖人ジャンヌ・ダルク）、「玉座の娼婦」（ロシア皇帝エカチェリーナ2世）、「戦場の天使」（ナイチンゲール）、**「奇跡の人」**（ヘレン・ケラーとサリバン先生）、「鉄の女」（イギリス首相サッチャー）、「世界の恋人」（マリリン・モンロー）、「鋼鉄の蝶」（フィリピンのマルコス大統領夫人イメルダ）、「イタリアの太陽」（ソフィア・ローレン）、「妖精」（ナディア・コマネチ）、「国民の妹」（キム・ヨナ）など。

日本女性なら、**「尼将軍」**（北条政子）、「ハンサムウーマン」（山本八重〈やえ〉）、**「マダム・バタフライ」**（オペラ歌手三浦環〈たまき〉）、「ゴッド姉ちゃん」（和田アキ子）、「ミスター女子プロレス」（神取忍）、「歌舞伎町の女王」（椎名林檎）、「国民の愛人」（壇蜜）など。

海外男性なら、「万学の祖」（アリストテレス）、「暴君」（ローマ皇帝ネロ）、「蒼き狼」

（チンギス・ハン）、「失地王」（イングランド王ジョン）、「航海王子」（ポルトガル王子エンリケ）、「串刺し公」（ワラキア公ヴラド）、「万能の天才」（レオナルド・ダ・ヴィンチ）、「太陽王」（エジプト王ラムセス2世、フランス国王ルイ14世）、「音楽の父」（バッハ）、「コルシカの悪魔」「英雄」（ナポレオン・ボナパルト）、「**鉄血宰相**」（ドイツ帝国宰相ビスマルク）、「喜劇王」（チャーリー・チャップリン）、「裸足の哲人」（アベベ・ビキラ）、「王様」（ペレ）、「**皇帝**」（ベッケンバウアー）、「ハリウッド」（ハルク・ホーガン）など。

日本男性なら、「甲斐の虎」（武田信玄）、「越後の龍」（上杉謙信）、「**犬公方**」（5代将軍徳川綱吉）、「米公方」（8代将軍徳川吉宗）、「在野の精神」（大隈重信）、「東洋のルソー」（中江兆民）、「**憲政の神様**」（尾崎行雄と犬養毅）、「東洋のネルソン」（東郷平八郎）、「ライオン宰相」（浜口雄幸）、「ワンマン宰相」（吉田茂）、「昭和の妖怪」（岸信介）、「**今太閤**」「**コンピュータ付きブルドーザー**」（田中角栄）、「浪速のモーツァルト」（キダタロー）、「燃える闘魂」（アントニオ猪木）、「走る修行僧」（瀬古利彦）など。

おふざけ系なら、「銀座の盗塁王」（読売ジャイアンツ柴田勲）、「緑のたぬき」（小池百合子）、「かぐや姫」（大塚家具の大塚久美子前社長）などがある。

異名のない偉人はいない。いわば有名税。納税先は、未来だ。

17

誰が想像できただろうか？
私達が火を囲んで食事するなんて

ハンジ・ゾエ（第127話「終末の夜」）

No one can imagine we have meal together around fireplace.

それぞれの〝正義〟が声高く響くところに平和は生まれない

〝地鳴らし〟を止めるために、不倶戴天ともいえる敵同士が手を取った。アルミンやライナーたちはそれぞれの信じる正義は異なるが……。エレンに心酔するイェレナは彼らの〝絆〟を断とうとする。しかし……。

始祖ユミルの魂から、義兄である「獣の巨人」ジークと違い王家の血を引いていない「進撃の巨人」エレンが、「始祖の巨人」を完全に継承した。

エレンとイェーガー派によって、「生まれ育ったパラディ島の平和のため、**地鳴らし**によって島外の人類を根絶やしにする」という、無数の超大型巨人達による破壊的な大行進は、ついに始まった。3重の壁であったウォール・シーナ、ウォール・ローゼ、ウォール・マリアはもうない。その壁こそが超大型巨人達で構築されていたからだ。

地鳴らしの大行進は海に向けて進み、さらに海を渡り、大陸に向かおうとしている！

地鳴らしが始まった日の夜、パラディ島内の森の中──。

①**エルディア国**〈**パラディ島**〉**壁内人類**である調査兵団のハンジ団長、リヴァイ兵士長、ミカサ、アルミン、ジャン、コニーと、②**反マーレ派義勇兵**のイェレナ〈実はマーレ人〉、オニャンコポン〈マーレに併合された黒人国家の出身〉、③**マーレ陸軍エルディア人戦士隊**のライナー〈「鎧の巨人」〉、アニ〈「女型の巨人」〉、ピーク〈「車力の巨人」〉、と戦士候補生のガビとファルコ、そして彼らを率いてきたマーレ人のマガト元帥。以上11人のエルディア人と、2人のマーレ人、そしてオニャンコポンの計14人がシチュー鍋を囲んでいる〈ピークは巨人のまま寝そべり、リヴァイは負傷して荷車で寝ているが……〉。

「**ダイバーシティ**〈**多様性**〉」という表題を付けてもよさそうなワンシーン。事情はどうあれ、**殺し合ってきた敵同士が一堂に会している空間**。

これは現代の**国際連合**に似ている。

本部をアメリカのニューヨークに置く国際連合は、1945年に原加盟国51カ国で発足した。正式名称は〝United Nations〟直訳すると「**連合国**」である。アメリカ、イギリス、フランス、中華民国を中心とする**自由主義国**と、ソ連を中心とする左翼的全体主義の社会主義国という、第二次世界大戦の戦勝国の連合である。

日本・ドイツ・イタリアの右翼的全体主義の**枢軸国**〈**AXIS**〉は、敗戦国として、当初は（おそらく現在も）彼ら連合国〈UN〉の仮想敵であった。

イタリアは1955年、日本は日ソ共同宣言の1956年、東西ドイツは1973年に加盟を許されているが、日本語、ドイツ語、イタリア語は未だに国連の公用語に採用されないし、いくら国連分担金を負担しようが、安全保障理事会の拒否権を持つ5つの常任理事国に選ばれることはない。また、核武装も許されない。

しかし、現在の加盟国は世界に193カ国。その決定に法的拘束力はないとはいえ、**国連の最高機関である総会は、それぞれ1票を持つ全加盟国で構成されている。**

これこそ、エルディア島内の森の一夜のワンシーンなのだ。彼らは皆、「始祖の巨人」ユミルと一体化したエレンの暴挙から**世界を救うため、協力して動き始めた。**

第一次世界大戦後、国際連盟の設立やパリ不戦条約の締結、ワシントン、ロンドン両海軍軍縮条約の締結では人類の争いは収まらず、結局は第二次世界大戦が起きた。東西冷戦終結後も、地域紛争、民族紛争、宗教紛争、テロリズムが蔓延（まんえん）する我々の世界。

もはや、人類以外の共通の仮想敵が必要なのか……？

特別誌上講義 2

あらすじ編

『進撃の巨人』は閉塞感漂う現代社会そのものだ

とある世界。巨人の餌と化した人類は、巨大な三重の壁を築き、壁外への自由と引き換えに約100年間、侵略を防いでいた。しかし、「超大型巨人」「鎧の巨人」出現により、かりそめの平安が破られた。

巨人を恐れて暮らすエレンたちの暮らしは、現代の**香港**を見るようですね。1997年にイギリスから中国に返還された時、「50年間は現行の自由主義を認める＝**一国二制度**」を約束されたにも関わらず、2020年に**国家安全維持法**が制定され自由度が極めて低くなりました。大規模な反対デモや海外の批判も鎮圧・無視。中国共産党という社会主義の「巨人」が「壁外」から侵攻した結果、人々の活動は著しく制限されてしまいます。

エレン達の世界と重なる現代社会

香港の混乱
2019年以来、香港では継続的にデモがおこなわれている。きっかけは逃亡犯条例改正案に反対するデモで、一時は200万人もの市民が参加した。翌20年には、香港国家安全維持法により弾圧が強まり、「香港の民主化」は危機に瀕している。

お買い求めいただいた本のタイトル

■お買い求めいただいた書店名

（　　　　　　　　）市区町村（　　　　　　　　）書店

■この本を最初に何でお知りになりましたか

□ 書店で実物を見て　□ 雑誌で見て（雑誌名　　　　　　　　）
□ 新聞で見て（　　　　　　新聞）　□ 家族や友人にすすめられて
総合法令出版の（□ HP、□ Facebook、□ Twitter、□ Instagram）を見て
□ その他（　　　　　　　　）

■お買い求めいただいた動機は何ですか（複数回答も可）

□ この著者の作品が好きだから　□ 興味のあるテーマだったから
□ タイトルに惹かれて　□ 表紙に惹かれて　□ 帯の文章に惹かれて
□ その他（　　　　　　　　）

■この本について感想をお聞かせください

（表紙・本文デザイン、タイトル、価格、内容など）

（掲載される場合のペンネーム：　　　　　　　　）

■最近、お読みになった本で面白かったものは何ですか？

■最近気になっているテーマ・著者、ご意見があればお書きください

ご協力ありがとうございました。いただいたご感想を匿名で広告等に掲載させていただくことがございます。匿名での使用も希望されない場合はチェックをお願いします☑
いただいた情報を、上記の目的以外に使用することはありません。

郵便はがき

料金受取人払郵便

日本橋局承認

3117

差出有効期間
2022年10月
23日まで

切手をお貼りになる
必要はございません。

103-8790

953

中央区日本橋小伝馬町15-18
EDGE小伝馬町ビル9階
総合法令出版株式会社 行

本書のご購入、ご愛読ありがとうございました。
今後の出版企画の参考とさせていただきますので、
ぜひご意見をお聞かせください。

フリガナ お名前	性別 男・女	年齢 歳
ご住所 〒 TEL（　　）		
ご職業　1.学生　2.会社員・公務員　3.会社・団体役員　4.教員　5.自営業　6.主婦　7.無職　8.その他（　　）		

メールアドレスを記載下さった方から、毎月5名様に書籍1冊プレゼント！

新刊やイベントの情報などをお知らせする場合に使用させていただきます。

※書籍プレゼントご希望の方は、下記にメールアドレスと希望ジャンルをご記入ください。書籍へのご応募は1度限り、発送にはお時間をいただく場合がございます。結果は発送をもってかえさせていただきます。

希望ジャンル：☐ 自己啓発　☐ ビジネス　☐ スピリチュアル　☐ 実用

E-MAILアドレス　※携帯電話のメールアドレスには対応しておりません。

ウォールマリア陥落から5年後、シガンシナ区出身のエレン、アルミン、ミカサの幼馴染3名は、第104期訓練兵として、同期の仲間と共に巨人に対抗する技を磨き、憲兵団、駐屯兵団、調査兵団のいずれかへの配属日を目前にしていた。だが、ウォール・ローゼ南部トロスト区に再び「超大型巨人」が出現し、開けられた穴から無数の巨人たちが壁内に侵入！　この人類存亡の危機に、エレンは突然自覚なしに巨人化し、入り込んだ「無垢の巨人」たちをなぎ倒す。そして、兵たちは彼の巨人化能力を利用し、巨大な岩で穴をふさぐことに成功する。

以後、エレンは王政に協力することとなった。調査兵団リヴァイ兵士長の班に守られたエレンを中心に、エルヴィン団長やハンジ分隊長は、ウォール・マリアを奪還し、シガンシナ区にあるエレンの生家に眠る「巨人の謎」を見るための布石として、アルミン、ミカサら第104期新兵も率い壁外調査に乗り出す。そこに突如、知性を持った「女型の巨人」が現れる！　巨人化したエレンはこれと戦うが敗北、調査兵団も巨大樹の森に誘い込んだ「女型」の捕獲はできず調査は失敗に終わり、王都ミットラスへのエレンの召集が決まる。しかし、その通り道である最も内側の壁ウォール・シーナ東部ストヘス区で、ついに「女型の巨人＝第104期新兵で憲兵団所属となったアニ」の捕獲に成功した調査兵団は、壁が巨人でできているという新たな謎と直面する。混乱の中、2枚目の壁ウォール・ローゼのどこかが突破された＝巨人が出現したとの急報が届く！

自分たちを守る「壁」が、脅威であるはずの「巨人」でできている状態は、アメリカが草案を書いた**憲法**を一言一句変えず75年間維持している敗戦国、日本の現状と似ています。人類史上唯一、核兵器を落とされた国が、ロシア、中国、北朝鮮という近隣核保有国の脅威から、アメリカの〝**核の傘**〟によって守られているという矛盾……。

裏切りはいつも突然襲ってくる

ウォール・ローゼ内地に突然現れた、「獣の巨人」率いる巨人たちの発生地点の特定を急ぐ調査兵団。故郷の森の方角に確認に向かったサシャを除く、ベルトルト、ライナー、ジャン、コニー、クリスタ、ユミルの第104期新

核の傘
2021年現在、核保有国は米・中・英・仏・露の五大国に加えて、印・パ・北朝鮮となっている（イスラエルは保有を認めていない）。その保有国が、同盟国に対して、核兵器を抑止力として安全を保障すること。

兵5名は南に向かい、ウォール・ローゼ付近のウトガルト城で夜を明かすことに。しかし、夜は活動できないはずの巨人たちが城を取り囲む。この危機に何とユミルが「顎の巨人」と化し大活躍！　エレン、アルミン、ミカサたちの救援もあり、巨人たちの撃退に成功する。

各方面の確認を終え集まってきた兵たちは、アニが「女型の巨人」だったこと、壁が何体もの巨人でできていたこと、ユミルまで巨人化能力を持っていたことないのに巨人たちが出現したこと、ウォール・ローゼが破られていたことなどを混乱・動揺しつつ思い出し、城近くの壁上での休息を取るが。その時、何とベルトルトとライナーが、それぞれ「超大型巨人」「鎧の巨人」の正体を現し巨人化した！　もう何を、誰を信じていいかわからない!!

エレンやユミルの巨人は人類に協力したが、アニの「女型」、ベルトルトの「超大型」、ライナーの「鎧」は完全な裏切り者ですね。古代ローマでいえばカエサルを裏切ったブルートゥス、戦国日本でいえば織田信長を裏切った明智光秀を見たような気持ちになる第１０４期や各兵団の面々。「お前もか！」「是非もなし！」ということで、もはや戦うしかない!!

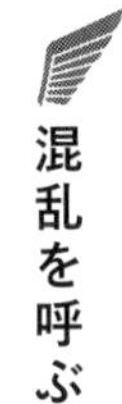

混乱を呼ぶ

「獣の巨人」ジーク戦士長の指示で動くライナーとベルトルトは、巨人化の能力を持つエレンとユミルを彼らの「故郷」に連れ帰ろうと、ウォール・ローゼ外へと拉致する。憲兵団や駐屯兵団の協力も得た調査兵団は、「鎧の巨人」と化したライナーへの決死の突撃により、エレンを奪還する（ユミルは自らの意思でベルトルト、ライナーの元に残った）が、物理的にも6割の兵やエルヴィン団長の右腕を失い、精神的にもその代償は大きかった……。

「巨人の謎」を知る真の王家である貴族レイス卿の娘である、と告白したクリスタすなわちヒストリアとエレンは、フリッツ王の命を受けた中央憲兵により身柄を狙われる。暴走する王政に対し、調査兵団エルヴィン団長は、駐屯兵団ピクシス司令や憲兵団ナイル師団長、全3兵団を率いるザックレー総統を巻き込み、フリッツ王政とウォール教の打倒を決意し、王都で革命を達成する！　そして、ヒストリアを新女王に即位させようと動くが、フリッツ王&レイス卿と結ぶケニー・アッカーマン率いる中央憲兵団「対人制圧部隊」により、ヒストリアとエレンは、ウォール・シーナ北部レイス領内の礼拝堂地下洞窟に連れ去られてしまう。リヴァイら調査兵団は、2人の居場所をつかみ急行するが……。

王族（フリッツ王家）、貴族（その取り巻き）、聖職者（ウォール教）、軍人や兵（3兵団）、ブルジョワ市民（リーブス商会など）、都市民衆や農民（庶民）の各勢力が入り乱れ革命が進行した描写は、1789～1799年に旧体制（アンシャン・レジーム）を覆した**フランス革命**に似ています。バスチーユ牢獄を襲撃し、ルイ16世を断頭台で処刑しただけでは終わりません。最終的に、**ナポレオン**という突出した英雄の登場が革命を終結させたのです。

真の王、レイス家が代々継承する「始祖（ユミル）の巨人」の力は、「進撃の巨人」の力を持つグリシャ・イェーガーにより、子のエレンに渡った。ヒストリアは、地下洞窟で父であるロッド・レイスにエレン殺害を命じられるが、最終的に自分の道を選び拒否する。怒りのままに最大の巨人と化したロッドは、最も内側の壁ウォール・シーナ北部オルブド区に迫る。その巨人に外壁上でとどめを刺したのは、娘のヒストリアだった！

親と子の間に生じる軋轢の克服

ヒストリアは「毒親」である父を殺して、従来の自分（クリスタ）を乗り越えました。精神分析学者**フロイト**は、子どもの無意識の抑圧心理について、男児の父に対する、女児の母に対する排除心理をまとめて**エディプスコンプレックス**と名付けましたが、彼女の場合、母アルマに甘えたかったし、10歳の時にその母を目の前で殺害されて父ロッド・レイスしかおらず、これに当てはまりません。母を含む周囲の人すべてに生きていることを快く思われず、初対面の父から「遠くの土地で名前をクリスタ・レンズと変えて慎ましく暮らすなら生きていていい」等と言われた、極めて特殊な生い立ちの彼女は、悲しい形で親離れをしたのです。ちなみにフロイトの共同研究者（後輩、弟子）であるユングは、女児の母に対する排除心理を**エレクトラコンプレックス**として分けましたが、フロイトは認めませんでした。

フリッツ王政を打倒し、旧体制派を一掃した調査兵団。彼らは、新たに入手した地下資源「氷爆石」とエレンの硬質化能力により、先端の壁ウォー

フロイト
オーストリアの精神科医。精神分析学の創始者として知られる。心理性的発達理論、リビドー論などを提唱しました。

ル・マリア奪還作戦への準備を着々と進める。シガンシナ区のエレンの生家にある地下室に眠る「巨人の秘密＝真実」を目指すためだ。一方、「超大型巨人」ベルトルトと「鎧の巨人」ライナーは、「獣の巨人」ジーク戦士長と共に迎撃態勢を整えており、両者はついに激突！　エルヴィン団長とアルミンは自らの命を懸け、「人類最強の兵士」リヴァイとエレンに敵を討たせる。リヴァイが伯父「切り裂きケニー」、すなわち中央憲兵ケニー・アッカーマンからその死に際し受け取った巨人化の注射薬は、アルミンに使用され、生き返った彼がベルトルトを食らうことで「超大型巨人」の力を入手した。

戦死したエルヴィンに代わり14代団長となったハンジを中心に、リヴァイ兵士長、エレン、アルミン、ミカサ、ジャン、コニー、フロック、サシャ（負傷療養中）の9名を残し109名戦死という壊滅的な打撃を受けながらも、ウォール・マリアを奪還した調査兵団。ついにハンジ、リヴァイ、エレン、ミカサはエレンの生家にたどり着いた。しかし、その地下室に眠る3冊の本に書かれた「真実」は、決して彼らが望むものではなかった……。以下に簡略化して記す。

――人類を脅かす人食い巨人「無垢の巨人」たちの正体は人間であり、壁内人類と同じ祖先を持つ民族「ユミルの民＝エルディア人」だった。パラディ島内に逃げ込んだフリッツ王は、約１００年前に無数の巨人を硬質化させて3重の壁を築き、真の王レイス家に代々伝わる「始祖（ユミル）の巨人」の力で民衆の記憶を改竄し、壁外の人類は滅亡したと思い込ませた。だが人類は滅んでなどおらず、他の民族や文明、すなわち世界は、巨人化できるエルディア人を「悪魔の民族」と呼び、根絶を願っている。近い将来、大国マーレは地下資源獲得を口実に侵攻を開始する。それが5年前に始まった「超大型巨人」「鎧の巨人」らの襲撃である――。

孤立はベクトルをより内側に向ける

「世界中から危険視されている」という状態は、思想・経済ともに社会主義、共産主義を維持する唯一の国家で、核拡散防止条約〈ＮＰＴ〉脱退を宣言して核実験を繰り返す**朝鮮民主主義人民共和国**〈**北朝鮮**〉の現状と似ていますね。フリッツ王家が**金日成**→**金正日**→**金正恩**と続く金一族にあたるのでしょうか？　それともレイス家？　とはいえ、北朝鮮は国際連合には加盟しており、中国とはそれなりに友好関係にあるので、たとえばアメリカから見れば、最下の仮想敵国であるイランほどの脅威ではないのかもしれません。地理的に近すぎる日本は、過去の拉致被害も含め、それどころではないわけですが……。

壁の向こうに海はあっても自由がないことを知ったエレンたちの行く末は……。彼らの住むパラディ島の外には、人類が暮らす世界が広がっていた。その中の一国マーレは、諸外国との戦争中である。苦戦を強いられる中、彼らは再度パラディ島に攻め入り、「始祖の巨人」を手に入れる決意を新たにする（巨人兵器強化のため）。マーレにもまた、ガビやファルコら、差別されながらも自分たちの人権を守るために必死に生きるユミルの民＝エルディア人戦士候補生である子どもたちの姿があった。

マーレ人であるマガト隊長の下に組織されたマーレ陸軍エルディア人戦士隊には、パラディ島から戻った「獣の巨人」ジーク戦士長（実はエレンの義兄）と「鎧の巨人」ライナー副長の他に、「顎の巨人」ポルコ・ガリアード

(以前パラディ島で兄マルセルを食ったユミルをマーレで食らい能力を継承)、「車力の巨人」ピークの4つの力がある。現在、「女型の巨人」アニはパラディ島の壁内に幽閉され、「超大型巨人」ベルトルトはアルミンに食らわれ、2つの力は失っている。「始祖の巨人」「進撃の巨人」はパラディ島でエレンが継承しており、残る「戦槌の巨人」はマーレの実質的支配者であるエルディア人、タイバー家頭主ヴィリー・タイバー公の妹に宿っていた。これが9つの巨人の力である。

世界は常に変わり続ける

作中で「もはや巨人の時代ではない」という記述がある。これは、第二次世界大戦時に巨大戦艦の**大和**や武蔵より、航空母艦のほうが圧倒的に役立ったことと似ています(=大艦巨砲主義の終焉と航空戦時代の到来)。最強の陸軍たる巨人より、海軍いや空軍の時代へ——兵器も常にアップデートしていくわけです。ただし、巨人兵器は我々の世界における核兵器に近い存在なので、近い将来、地球にも「もはや核兵器の時代ではない」と言える日が来

大和
大日本帝国海軍が建造した戦艦。呉海軍工廠で建造された。1945年4月に沖縄に向けて出発するも、300機以上の米軍戦闘機による攻撃を受けて沈没した。これが、大艦巨砲主義の終焉と航空戦時代の到来を象徴だといわれる。

るかも?と期待させますが、それは新たな大量破壊兵器の開発が進んだだけなのかもしれませんね……。

エルディア人を閉じ込めた「レベリオ収容区」の大イベントで、全世界に対し、パラディ島の脅威を説くマーレのタイバー公ヴィリー。そこに現れたのは、平和への反逆者たる「始祖の巨人」「進撃の巨人」の力を持つエレン・イェーガーだった! エレンと連携しパラディ島から出撃した調査兵団は、マーレの人々をなぎ倒し、軍への大打撃を目論む。

エレンと「戦槌の巨人」タイバー公の妹の戦いは過熱、集結したパラディ島、マーレ両国の最大戦力がぶつかり合うが、前者が圧勝した。エレンは「戦槌の巨人」の力を手に入れ、調査兵団は飛行船で撤退する。その過程でサシャが命を落とし、マーレのガビとフロックが捕虜となるが、飛行船内にはジーク戦士長もいた。しかし、彼は捕虜ではなく、何と「反マーレ派義勇兵」のトップとして、部下のイェレナやオニャンコポンと共に、マーレを裏切った。

新たな伏線の登場と広がる世界観

この「まさか！」が連続するミステリ作品的な謎解きの面白さも、『進撃の巨人』の大きな魅力です。ミステリの〝三種の神器〟とされるのが「謎」と「伏線」と「論理的解決」ですが、本作がさらにすごいのが、「新たな世界」を創り、その世界で、何よりも「人間」が描けている。

さて、皆さんはどう思われるでしょうか？　優れた作品は、突き詰めれば題名のない絵のようなもので、読者にその解釈は委ねられます。作品と出会ったことで「考えさせる」のです。**誠実であることの困難さ。**これが全編に一貫している私の思う主題です。

マーレに潜入し、大打撃をもたらしたエレン・イェーガー。その目的は、義兄のジークをパラディ島に連れ帰ることだった。王家の血を引くジークを迎え入れたことで、全世界に対抗する力〝地鳴らし〟の発動条件を手に入れたエレンたち。それは同時に、全面戦争へのカウントダウン開始の合図でもあった……。しかし、ザックレー総統やピクシス司令、ナイル師団長らを中心とする兵団は、エレンがジークに操られていた場合の危機を考慮し、2人を引き合わせることを躊躇し、協力的だったイェレナ、オニャンコポン、ニコロら反マーレ義勇兵たちを拘束してしまう。その事態に一部の兵士（フロックらイェーガー派）や民衆が不満を溜める中、ついにエレンが単独行動を起こす。それに呼応したイェーガー派は、ザックレー総統を殺害し、ピクシス、ナイルら兵団の要人を拘束、ジークのもとへ向かう。一方、ジークを見張ってきたリヴァイ兵士長は、死闘の末に再びジークを拘束する。そこで明かされたジークの真の計画とは、将来、誰も子を産めないようにする「エルディア人安楽死計画」だった！

この安楽死計画は無茶苦茶なものです。なぜなら、「安楽死」「尊厳死」という言葉は、「本人の意思で選択する場合にのみ有効」な用語だからです。ジークの計画は、優生思想に基づく将来的な**虐殺**（**ジェノサイド**）にすぎず、それはユダヤ人や障害者や性的少数者をガス室送りにした、ナチス・ドイツのヒトラーの所業と変わりません。

ジークが義弟エレンに託した「エルディア人安楽死計画」の鍵を握るのは、

「始祖の巨人」の力を持つ「進撃の巨人」エレン（母がカルラ）と、王家の血を引く「獣の巨人」ジーク（母がダイナ・フリッツ＝カルラを捕食した巨人）の接触。リヴァイら調査兵団の包囲網を突破し、ジークは自由の身となるが、そこに隊長から昇進したマガト元帥率いるマーレ軍（「車力の巨人」ピークや「顎の巨人」ポルコ含む）が現れる！

ギリギリのところで接触を果たしたイェーガー家の義兄弟は、しかし決裂する。弟エレンの真の計画は、兄ジークを裏切り「〝地鳴らし〟によって世界を滅ぼす」ことだったからだ。始祖ユミルの力を巡る「道」という空間における争いは、エレンの勝利に終わり、ついに無数の大型巨人たちによる破壊的大行進が始まってしまう。

血のつながりは連帯も生むし、決裂も生む

兄弟の決裂は、日本史では中大兄皇子（天智天皇）vs大海人皇子（天武天皇）、崇徳上皇vs後白河天皇、源頼朝vs源義経、足利尊氏vs足利直義、堤清二vs堤義明、若乃花vs貴乃花など枚挙に暇がありません。漫画ではラオウvs

ケンシロウ、たっちゃんvsかっちゃん……ユリアと南ちゃんに叱られそうなので、もうやめておきましょう。弟が優位のイメージがありますが、実際のところは五分五分くらいです。

始祖ユミルの力を掌握した「進撃の巨人」エレンは、生まれ育ったパラディ島の平和、特に調査兵団の仲間たちのため、島外の人類を根絶やしにすることを決意する。そして〝地鳴らし〟を開始したエレンと大型巨人の大群。彼らは救世主なのか悪魔なのか？　結論は出ないまま、アルミン、ミカサ、ジャン、コニー、ハンジ、リヴァイの調査兵団に加え、ライナー、アニ、ピーク、ガビ、ファルコ、マガト元帥のマーレ陸軍エルディア戦士隊、イェレナら反マーレ義勇兵たちは、世界を助けるために動き始めた。

彼らは空からエレンを追いかけ、マーレ大陸カリファ軍港で世界連合艦隊を壊滅させた後の〝地鳴らし〟の目的地である南の山脈にあるスラトア要塞で追いつき、ついに「9つの巨人」とイェーガー義兄弟、アッカーマン一族（リヴァイ&ミカサ）が入り乱れる最終戦が始まる！　後悔する大人たちを尻目に、若者たちの運命やいかに？

間違いを犯した時に、それを認め、反省すること。どんなに親しくても間違いを犯した人がいた時に、それを指摘し、命懸けで止めること。「誠実でいることの困難さ」を問う大作がついに終結します。

なりふり構わず自由を求めて進撃するエレンは、ついに仲間を含むエルディア人たちを「無垢の巨人」に変えてしまうが、巨人化してから13年の寿命しかない「始祖」ユミル以外の各巨人（「進撃」「戦槌」エレン、「超大型」アルミン、「鎧」ライナー、「女型」アニ、「車力」ピーク、「顎」ファルコ、「獣」ジーク）の生きざま、巨人化せずその守護を使命とするアッカーマン一族（ミカサ、リヴァイ）の取った最終行動は、私たちの胸に刺さる、刺さる。

「いずれ必ず死ぬ」という共通項しか持たない人間を描き切った作者の人間力、歴代編集者たちのサポート力に震撼する脅威の名作、ここに完結！

第3章　日本史から読み解く「進撃の巨人」

18

外の世界がどうなっているのか何も知らずに
一生壁の中で過ごすなんて嫌だ!!

エレン・イェーガー（第1話「二千年後の君へ」）

I hate the idea of spending my whole life inside the Wall, ignorant of what's happening in the world outside!

手の届かない自由には鋭いトゲがある

壁外調査から満身創痍で帰ってきた調査兵団を目の当たりにしたエレンたち。エレンは、壁外の未知を知る「自由」を求めて調査兵団へ入ることを決意する。「自由」は魅力的だが、それには「代償」がともなう。巨人という驚異との対峙は、「死」を意味したからだ。

1989年――日本で「昭和」が終わり「平成」が始まった年。

世界に衝撃が走った。

東西ドイツを隔てていた**ベルリンの壁が崩壊**。地中海に浮かぶマルタ島の会談では、ソ連のゴルバチョフ書記長が、アメリカのブッシュ大統領に白旗を上げた。

東西冷戦が終結したのだ。

1990年には統一ドイツが誕生（現在のメルケル首相は東ドイツ出身）。

1991年にはソ連も解体され、ロシアを中心とする独立国家共同体〔CIS〕に再編された。

以後、ありもしない「平等」の理想を掲げる社会主義国は、結果的に弱肉強食、優勝劣敗、適者生存という「自由」競争の現実を生きる資本主義国に駆逐されていった。

2020年現在、マルクス・レーニン主義を戴く社会主義国家は、中華人民共和国、ベトナム、キューバ、ラオス、北朝鮮の5カ国のみ。

しかも——。

北朝鮮を除く4カ国は、「平等」思想を維持しつつも、市場経済という「自由」を導入した「社会主義市場経済」という二律背反状態にある。

北朝鮮は、マルクス、レーニンよりもスターリン、毛沢東という独裁者に影響を受けた一族を頂点に戴いている。金日成→金正日→金正恩の3代を経て、人々から「自由」を奪った結果「平等」に貧しくなった、核兵器まで保有する、極東の孤独な軍事独裁国家である。

エレンのように「自由」を求めてやまない人類は、ついにそれを手に入れたといえる。

競争のない社会主義は確かに「平等」だ。計画経済の下で、人口数に比例した自動車やシャンプーや飲料が生産され、余りが出ない。何かを捨てる必要のない、理想の世界。

かたや市場経済の資本主義。ディーラーに色とりどりの車が溢れ、駅前や国道沿いに並ぶドラッグストアには全国民の頭を100回洗っても尽きないほどのシャンプーがあり、24時間稼働するコンビニや自販機には飲みきれない飲料が並び、「選んで！」「買って！」とアピールし続けている。

昭和の昔。バレーボールの国際試合に来日したソ連の女子選手数名が、帰国時に空港から逃亡を試み、引きずり戻されたことがある。柱にしがみつき、彼女たちは泣いた。「日本のデパートは何て素敵なの、好きな物を選んで買えるなんて！」

確かに私たちには、選ぶ自由がある。しかし、競争に敗れて取り残されたものは、大量に捨てられるという現実もある。

――それでも人類は「自由」を選んだ。

19

巨人に物量戦を挑んで負けるのは
当たり前だ

エレン・イェーガー（第3話「解散式の夜」）

In the first place, it's a given that material warfare against the titans is doomed to fail.

訓練を終えて、実戦に向かう前夜、エレンたちは同期と将来の所属について話し合う。もともとウマが合わず、巨人討伐に不安を隠さないジャンとの言い争いは乱闘にまで発展してしまう。

"巨人"を前に策をこらして2度も倒した日本

845年、最初の「超大型巨人」と「鎧の巨人」襲来により、人類は先端の壁、ウォール・マリアを放棄し、活動領域はウォール・ローゼまで後退した。

翌年、巨人に奪われた領土を奪還すべく、人類は人口の2割を投入して総攻撃を仕掛けた。そして、そのほとんどがそっくりそのまま巨人の胃袋に直行した。巨人を1体倒すまでに30人は死んだ。しかし、地上を支配する巨人の数は人類の30分の1では済まない。

4年後の850年。第104期訓練兵団解散式の後の食事会で、「もう十分わかった人類は…巨人に勝てない…」と言うジャンに、エレンが反論をぶつ。

「戦術の発達を放棄してまで大人しく巨人の飯(メシ)になりたいのか？　……冗談だろ？」と。

近代の日本も2度、〝巨人〟に勝利している。なぜ小さな島国である日本が、清やロシアに勝てたのだろう？

日清戦争（1894〜95年）には、幸運な面があった。無傷で満を持していた日本に対し、清はアヘン戦争（1840〜42年）でイギリスに負け、アロー戦争（1856〜60年）でイギリス・フランスに負け、清仏戦争（1884〜85年）でフランスに負け、と3連敗を喫した後で、大きく国力が下がっていたのだ。また、**日本は最新の村田銃で統一された組織的な陸軍を持っていたし、海軍は高速で俊敏な艦隊を保有していた。**一方、清は旧式の銃と軍艦だったので、相手にならなかった。国内世論も大きく影響した。日本にとっては初の全国民参加型の対外戦争なので、ナショナリズムが盛り上がり、国論が完全に統一されていた。清は3度の戦争に敗れ、一部を除きほぼ戦意喪失状態（＝ジャン状態）。日本が清に勝ったのは必然ともいえるだろう。

では、**日露戦争**（1904〜05年）には、どうして勝てたのだろう？　当時、日本の国力の約10倍を誇っていた、陸軍国としては世界最強の大国ロシア。

有色人種が初めて白人に勝ち、世界に衝撃を与えることができたのは、**「臥薪嘗胆（がしんしょうたん）」というスローガンに象徴される国民の士気の高さと、カネ、ヒト、情報の力による。**

日本は当時、国家予算2億5000万円規模の国であったにもかかわらず、戦争予算として17億円を用意した。内外の国債発行と増税で調達した巨額の資金だ。そして、戦場で活躍した**秋山兄弟**（陸軍の**好古**（よしふる）と海軍の**真之**（さねゆき））や連合艦隊司令長官、**東郷平八郎**以外にも、勝利へのキーマンが複数いた。日本銀行副総裁の**高橋是清**は、ニューヨーク、ロンドン、ベルリンで外債募集に成功した。**明石元二郎**（もとじろう）大佐は、諜報活動で「血の日曜日事件」に始まる第一次ロシア革命の火種をつくった。**金子堅太郎**は、ハーバード大学留学時代のコネを使い、アメリカ大統領セオドア・ローズヴェルトに接近して絶妙のタイミングで日露講和会議を開催してもらった。そのポーツマス会議で奮闘したのが同じくハーバード留学経験のある外務大臣の**小村寿太郎**だった。

壁内の人類が危機意識を共有し、巨人の生態を分析して税金を投入、エレンのような士気の高い兵を揃えれば、あるいは……。

あれから――5年経った――3分の1の領土と2割の人口を失ってようやく、人類は尊厳を取り戻しつつある。

壁の上に立つエレンは思う。「勝てる――人類の反撃はこれからだ――」

その時、またしても「超大型巨人」が目の前に現れた！

20

夜間に壁外の作戦を決行するのは
どうでしょうか？

アルミン・アルレルト（第37話「南西へ」）

How about executing a night opera
tion outside the Walls?

どんなに手を汚しても勝利こそ価値がある

ウォール・ローゼ内地で巨人が発生し、調査兵団は破られたであろう壁のあたりへ向かう。途中、エレンの体を硬質化し壁の穴を塞ぐ案が出され、一行は一刻も早く到達しなければならなくなった。アルミンは危険を承知で巨人が活動しない夜間移動を提案する。

鎌倉時代前期に慈円が著した『**愚管抄**』は、中世で最も重要な歴史書とされるが、そこに有名な一節がある。

「保元元年七月二日 鳥羽院失セサセ給ヒテ後、日本国ノ乱逆ト云フコトハ起コリテ後、**武者ノ世**ニナリケル也」

平安時代末期の1156年、院政を展開していた鳥羽上皇〈法皇〉が、はっきりと後継を決めないまま亡くなった。次の政権は2人の子によって争われ、**保元(ほうげん)の乱**が起こる。これが、以後約700年にわたる武士の世の始まりである――。

壬申の乱（672年 ○大海人皇子のち天武天皇【叔父】vs●大友皇子【甥】）、薬子の変（810年 ●平城上皇【兄】vs○嵯峨天皇【弟】）に続く、3度目にして最後となる皇室内部の武力闘争が勃発したのだ。

崇徳上皇【兄】には、摂関家の藤原頼長が味方した。その下に武将として平忠正や源為義・為朝父子が従ったが、「当時マコトニ無勢ゲナリ」「勢ズクナナル者ドモ」（『愚管抄』）と、私兵の寄せ集めで兵力は少なく、劣勢は明らかだった。

後白河天皇【弟】には、乳母の夫である僧の信西と摂関家の藤原忠通がついた。その下に武将として平清盛や源義朝をはじめ大量の兵が従い、巨大な勢力となった。

ここで、劣勢にある崇徳上皇方の源為義・為朝父子から「**夜討**を決行するのはどうでしょうか？」と進言がある。

ここが、勝負の分かれ目だった。正面衝突では兵力差がありとても敵わない。夜討による先制攻撃なら、受けた側が大軍なら同士討ちのリスクがあり動きづらいはず。

しかし――。

貴族勢力の代表である摂関家の藤原頼長は、「それは卑怯」「（反乱軍ではなくこちらに正義があるのだから）正々堂々と戦うべき」と進言を言下に退け、奈良の興福寺から僧兵の援軍を待つことになる。伝統に忠実で、自分に厳しく他人にも厳しい〝悪左府（融通の利かない左大臣）〟の悪い面が出てしまった。

かたや、後白河天皇方の源義朝も「数的優位に慢心せず、夜討による先制攻撃を」と提案した。この意見に対し、摂関家の藤原忠通はやはり躊躇したが、僧の信西が賛成して押し切った。果たして——。

源義朝、平清盛らの夜討を受けた崇徳上皇方は、大混乱に陥った。勇敢に踏み止まった源為義、為朝の奮戦も虚しく、さんざんに敗れた。崇徳上皇は讃岐国に流され、蟄居先で爪や髪を伸ばし続け、恨みながら8年後に壮絶な死を迎え怨霊となったといわれる。また、藤原頼長は、戦いで首に矢を受けて死亡した。

2人とも、皇室や摂関家の家長を務めた人間の死に方ではない。

従来の価値観やプライドというものは、勝利にこだわるなら、捨てるべき時は捨てなければならない。**常識を引っくり返すような提案**を行う人間は、自ら責任を取るつもりで、覚悟を決めて進言しているのだ。

その覚悟を受け止めることができるか。上官や主君の器量は常に問われている。

21

あいつは時々
俺でもおっかねえと思うぐらい執念が強ぇ
何度倒されても何度でも起き上がる

ハンネス（第45話「追う者」）

He's so tenacious that it even scared me from time to time.

本当に強い者はあきらめず、何が何でも生きる強さを持つ

エレンを奪われた調査兵団はすぐにライナーたちを追おうとするが、準備がはかどらない。焦るアルミンとミカサを見て、ハンネスがエレンの気性を分析し、その生存を2人に説明する。そのとたん、途方に暮れていた2人の瞳に生気が宿った。

エレンを連れ去られ意気消沈するミカサとアルミンに「まあいつものことじゃねえか」と、駐屯兵団のハンネスは語りかける。「あのワルガキの起こす面倒の世話をするのは昔っからお前らの役目だろ?」と。

幼い頃から3人を知るハンネスおじさんの言葉は、いちいちエレンの本質を衝いている。「あのバカはロクにケンカも強くねぇクセに、相手が3人だろうと5人だろうとお構いなしに突っ込んでったよな」「おっかねえと思うぐらい執念が強ぇ」「負けて降参した所も見たことがなかった」「相手が誰であろうと手こずらせ続ける」……。

そう、**エレンはまるで織田信長**。同盟者や部下を振り回すのは日常茶飯事だ。

尾張国を治める信長は、1560年に**桶狭間の戦い**で今川義元（駿河国、遠江国、三河国の大名）相手にジャイアントキリング（大番狂わせ）を起こし、26歳で鮮烈メジャーデビューを果たす。限りなく天下統一に近づいた後の結果を見れば、連戦連勝、負け知らずと思われがちだが、実は**生涯戦績58勝19敗7分け**。戦いまくる割には、案外、負けも多い。まるで東南アジアか中米の中量級ボクサーである。

有名な負け戦といえば、1570年に朝倉義景（越前国）と争った**金ヶ崎の戦い**。敵の拠点を打ち破り、エレンの如く「進撃」するが、義弟の浅井長政（北近江の大名で妹お市の方の夫）に裏切られ挟み撃ちにされる。ここで、木下藤吉郎（羽柴秀吉）が金ヶ崎城で殿を買って出て（一説に明智光秀や徳川家康も）、命懸けで敵を引き付け、信長が逃げる時間を確保した。命からがら京都へ逃げ延びた時、信長の供はわずか10名ほどだったという。有名な大ピンチ「金ヶ崎の退き口」である。しかし、その翌日、窮地を脱したばかりの信長は、改修中の御所を視察するなど平然と振舞った。そして、8日後には浅井、朝倉軍討伐のため軍隊を整えるつもりで、当時居城のあった岐阜へ向かうのだ。そして**姉川の戦い**で勝利する。

すぐスイッチが入り、止まらないエレンと織田信長の類似点は、非情・非道な「**第六天**

魔王」としての「進撃」ぶりにも表れる。

1571年の**比叡山延暦寺焼き討ち**では3000人以上、1574年の**長島の一向一揆**では2万人以上を大虐殺。命じられた明智光秀と滝川一益は、信長の怖さに身内ながら震えただろう。1575年の**長篠〔設楽原〕の戦い**では武田の騎馬隊に3000丁の鉄砲をぶっ放し、1577年の**信貴山城の戦い**では茶釜「平蜘蛛」を持つ松永久秀を自爆に追い込む。1579年には同盟者の**家康に嫡男信康と家康の正室築山殿の処刑を要求**し、1580年には石山本願寺攻めに手間取る**佐久間信盛に長大な折檻状を送りつけ**叱り飛ばす。

相手が腰を抜かすほど巨大な**甲鉄の軍船**を建造し、世界最大の安土城を築城、宣教師ヴァリニャーニからは黒人奴隷の弥助を献上されて信長はゴキゲンだった。1582年、武田氏を滅ぼした直後には**快川国師の恵林寺を焼き討ち**して「心頭を滅却すれば火は自ら涼し」の名言を引き出し、本能寺では森蘭丸に伽の相手をさせて爆睡……。

明智光秀どころか千利休ですら、何かの機会に命を奪おうと思ってもおかしくないくらいのマイペースぶりである。

「座標＝始祖の巨人の力」や「天下」を一番渡してはいけないのは、エレンと信長。これがライナーやベルトルト、そして光秀が出した結論である。

22

民衆とは…名ばかりの
王に
なびくほど
純朴なのでしょうか？

ヒストリア・レイス（第68話「壁の王」）

Do you think the people are so naïve
they'd obey a ruler in name only.

〝象徴〟は不断の努力によって作り上げられていく

壁内の実質的支配者だったロッド・レイスは、二足歩行もできないほどの最大の巨人となり、オルブド区に向かっていた。その討伐に参加したヒストリアをエルヴィンは諌めるが、彼女は、何の功績もない新しい〝象徴〟を信じるほど民衆は無垢ではないと説く。

レイス家領の礼拝堂地下にある広大な地下空間。

ヒストリアは、父ロッド・レイスから、巨人化してエレンを食らい「始祖の巨人」の力を奪い返すことを命じられた（同時に「進撃の巨人」の力も手に入るが）。それは、エレンの父、グリシャ・イェーガーに喰われた姉フリーダの仇を討つことでもあった。

しかし、ヒストリアは、勝手な父から最後は親離れを果たし、自分の道を選ぶ。レイスは怒りのままに「超大型巨人」の倍ほどもある最大の巨人と化し、一番内側の壁ウォール・シーナ北端の突出部オルブド区へと、夜間にも関わらず這いずり進んでいく。

現地の駐屯兵団と協力し、調査兵団最大の兵力を駆使して、最大の巨人を討伐せねばならない。そんな中、この後、真の王家レイス家を継ぐ女王として即位する予定のヒストリアは、危険な前線にいてはならない存在である。しかし、彼女は私服の上に武装して現れ、止めるエルヴィン団長に対し、「私には疑問です」と表記の言葉を切り出す。続けて……。

「そのことで私に考えがあります　自分の果たすべき使命を自分で見つけたのです　そのために今ここにいます。**私が巨人にとどめを刺したことにして下さい！　そうすればこの壁の求心力となって情勢は固まるはずです**」

「君の考えは理解したが…戦闘の参加は許可できない」

「団長…どうか…！」

「まぁ…もっとも　私のこの体では君を止めることはできないだろうがな…」

と、隻腕のエルヴィンは黙認することにした。

その結果――。

壁際で立体機起動に入り、刃で巨人の父にとどめを刺したのは、ヒストリアだった！

目に見える大きな利益・権益なしに、根拠のあやふやな権威に扇動されるほど民衆は馬鹿ではない。いつの時代も「支配される側」の人間は、圧倒的に現実主義だからだ。

税や商会の寄付で支えられてきた調査兵団には、民衆への経済的見返りは用意できない。

ならば、正統・正当な権威を確立するか、でっちあげるか。

例えば、幕末の動乱を経て維新を達成した**明治天皇**（１８５２〜１９１２年）。即位時にはヒストリアと同じ15歳、１８６７年に王政復古の大号令で新政府を樹立している。**軍服を着た御影**（**肖像画や写真**）を見たことがあるだろう。天皇は、陸軍（陸軍省参謀本部）と海軍（海軍省軍令部）を統帥（とうすい）する、頼もしい「**大元帥**」でもある。

睦仁（むつひと）親王時代の１８６４年、蛤（はまぐり）御門（ごもん）の変（禁門の変）で宮中にて卒倒した**貧弱・ひ弱な皇子様キャラは封印せねばならない**。大日本帝国憲法では主権および天皇大権を持つ立憲君主として崇め、学校は教育勅語に敬礼させ、国家神道を使い神格化するだけでは足りないのだ。

後継の大正天皇は、この部分に決定的に欠けた。その子、昭和天皇も、「神軍」を率いて日清・日露戦争に連勝し、大いに説得力を持っていた祖父の明治天皇に比べれば……。

影の王である父親の暴走を自らの手で鎮め、小さな体で巨人から民衆を救ったヒストリア。彼女は民衆の熱狂的な支持を得て、女神のような真の王となったのだ！

ふふ…お前ら
ありがとうな

リヴァイ・アッカーマン（第69話「友人」）

Thanks…
…All of you.

無双の強さで巨人を倒してきた〝人類最強〟リヴァイの言葉

群衆の見守る王宮前広場の壇上で、ヒストリアは宝冠を戴く。ロッドの巨人を倒したことから民衆は、ヒストリアを〝女王〟として支持した。式の後、廊下に控えるリヴァイの肩をヒストリアは叩く。それは亡きリーブス会長の言葉を実行するためだった。

「自由の翼」調査兵団の象徴的存在、「人類最強」の**リヴァイ兵士長**は、もはや**名言製造機**である。時系列順に追っていこう。

巨人にやられて死にゆく部下の手を握り「約束しよう　俺は必ず!!　巨人を絶滅させる!!」と普段言わなそうなテンションで送ってやる優しさ。

本編初登場シーン、一迅の風のように現れ巨人を倒し、エレン、アルミン、ミカサの窮地を助けた際の「オイ…ガキ共…これは…どういう状況だ?」という、三十男っぽい発言も、異常な戦闘力を見せつけた直後だけに、シビれる。

巨人化の能力があることが判り、審議所で我慢がきかず「いいから黙って全部俺に投資しろ!!」とキレたエレンに蹴りを入れ、さらに頭を踏みつけた後の「これは持論だが　躾に一番効くのは痛みだと思う」は、その筋の人にはたまらないだろう。一度でいいから「何言ってんのかわかんねえな、クソメガネ…」と言われたい人もいるはずだ。

リヴァイの綺麗好きが明らかとなる、旧調査兵団本部での「全然なってない　すべてやり直せ」や、新リヴァイ班編成時の「お前らがナメた掃除をしていた件は後回しだ」は、軍医兼文豪の森鷗外を思わせる**潔癖症**ぶりの片鱗を見せている。やがて鷗外のように、野菜や果物も温めてからでしか食べず、饅頭を茶漬けにするようになるかも?

巨大樹の森で「女型の巨人」に追われ、巨人化するかどうかの判断を迷うエレンには「お前は間違ってない。やりたきゃ　やれ」と任せる。自分自身を信じるか、調査兵団組織を信じるか「**悔いが残らない方を自分で選べ**」と。そして、迷い続けるエレンを「遅い!!　さっさと決めろ!!」と一喝する。どう転んでも何とかする、という気概も背負って。

また、「この壁の中はずっとクソなんだよ」「俺がそれに気付いたのは数年前からだ　なんせ生まれた時からずっとこの臭ぇ空気を吸ってたからな」という、地下街での孤児としての育ち。ケニーに生き延びる術だけを教えられ、去られた、最強&孤高のドブネズミ。「だが壁の外で吸った空気は違った　地獄のような世界だが　そこには　この壁の中には

無い自由があった　俺はそこで初めて自分が何を知らないかを知ることができたんだ」という知性。リーブス商会の会長に言った「商人？　俺は今あんたと…ディモ＝リーブスと話をしている　あんたの生き方を聞いてるんだ　あんたはどんな奴だ？」に見られる徹底的なフェアネス（公正さ）。

しかし、ヒストリアに女王として即位するかどうか決めろと迫った時こそ、最も彼の本質が現れる。

「隣にいる奴が…明日も隣にいると思うか？」だ。

「俺はそうは思わない　そして普通の奴は毎日そんなことを考えないだろうな……　つまり俺は普通じゃない、異常な奴だ…　異常なものをあまりに多く見すぎちまったせいだと思ってる　だが明日…ウォール・ローゼが突破され　異常事態に陥った場合　俺は誰よりも迅速に対応し　戦える　明日からまたあの地獄が始まってもだ」

そしてまた、惚れられまでしていたペトラたち、部下を失う。今日もまた黙って耐える。全身が傷だらけになっても、エルヴィン団長との最後の約束も守ろうとし、それを果たす。

礼を言いたいのは逆にこちらですよ兵長！　と返したくなるほどの超一流、男の中の男。それが「**人類最強の兵士**」**リヴァイ・アッカーマン**である。

24

僕が捨てられる物なんてこれしか無いんだ
きっとエレンなら海にたどり着く
海を――見てくれる

アルミン・アルレルト（第82話「勇者」）

The only thing I have to give is this.
I know Eren can make it to the ocean.

抱えきれない思いを託す2番手の気持ちとトップの決意

ウォール・マリア奪還作戦の終盤、リヴァイはエルヴィンたちの特攻で背後から攻撃するジークを追い詰める。シガンシナ区内では、エレンとアルミンがベルトルトの「超大型巨人」に対峙していた。高熱を発する「超大型巨人」にアルミンは必死に食らいつく。

アルミンは、いつもイジメっ子たちから助けてくれていた感謝もあり、エレンを支える「**2番手**」として成長した。初めて巨人が襲来したウォール・マリア南端シガンシナ区出身の幼馴染3名のうち、ミカサが首席でエレンが5番だった訓練兵団において、上位10名に入れなかった。本人も、自分は人より体力がなく、卒業模擬戦闘試験を合格できたのも奇跡だと思っている。しかし、**座学はトップで、**たとえ死んでも同期の足手まといにはならない自負があり、アニには「あんた弱いくせに根性あるからね」と褒められている。

この直後、ウォール・ローゼ南端トロスト区に巨人が5年ぶりに襲来した。知恵を巡らせ身体を張って奪還作戦に成功した後、アルミンたちは、調査兵団の新兵となる。

そもそもエレンの目を「壁の外の世界」へと向けたのはアルミンだ。

祖父が隠し持っていた本の内容を教え「いつか…外の世界を探検できるといいね…」と言ったのは、他でもないアルミンなのだ。いい役柄じゃあないか、それで十分。センターに立つ人間は最初から決まっている。下手に中心に押し出されても、不幸なだけである。

長らく安倍晋三内閣の官房長官だった**菅義偉**（よしひで）首相を見れば解るように、「２番手」ポジションのほうが向いている人材は、わが国の歴史的にも少なくない。


飛鳥時代、鸕野讚良（うののさらら）皇女（のちの持統天皇）は甥の大津皇子を自殺に追い込み、息子の**草壁皇子**を天武天皇の皇太子とするが、草壁皇子は、即位前に病死してしまった。

室町時代、前将軍の兄が９歳で早逝（そうせい）したせいで８代将軍に据えられた**足利義政**は、芸術面に秀でるも政治面には適性がなく、応仁の乱（１４６７～１４７７年）の火種となる。

安土桃山時代、関ヶ原の戦い（１６００年）で敗れ、天下人の徳川家康に処刑された**石田三成**は、豊臣秀吉に仕えていた頃のほうが、明らかに幸せだった。

江戸時代、享保の改革を成功させた「幕府中興の祖」８代将軍吉宗の長男に生まれたばかりに、後継に据えられた９代将軍**徳川家重**。彼は、言語不明瞭で、生来身体が弱く、小便が我慢できないこともすら多かったという。父吉宗の死後は側用人の大岡忠光に実権を握られ、「馬鹿殿」「小便公方」と呼ばれた。

明治時代、西郷隆盛と大久保利通を続けて失った鹿児島県民は意気消沈した。続く人材に期待をかけたが、〝大西郷〟の弟の西郷従道と従弟の大山巌は軍人丸出し、銭勘定の得意な松方正義は明らかに格下。北海道開拓を続けたかった「北の王者」**黒田清隆**が、いつしか薩摩閥のトップにならざるを得なかった。「酒乱」で有名な彼は他藩閥の官僚から距離を取られ、素面の時は養鶏を趣味とし、参内するたび明治天皇に一個ずつ採取日を書き込んだ「鶏卵」を律儀に献上して迷惑がられ、さぞや孤独だったに違いない。

アルミンは幸せだった。全てを懸ける価値のある強烈なエレンが、良くも悪くもずっといてくれたからだ。そういう意味で「1番」の責任は重い。

コロナ禍の2020年、日米ともに強烈な「1番（安倍晋三、トランプ）」が退場した。「2番手」に託された日米の命運やいかに？　ロシア、中国、北朝鮮の強烈な「1番（プーチン、習近平、金正恩）」へどう対峙するのか！

25

これはお前が始めた物語だろ

フクロウ（第88話「進撃の巨人」）

After all...you started this story, didn't you?

決してあきらめない強い意志が物語を最終章に導く

「戦い続けろ」と言うフクロウの言葉にうなずけないグリシャ・イェーガー。すべての始まりは、グリシャが妹を壁の外に連れて行ったことだと諭し、エルディア派の復権のために、フクロウの「進撃の巨人」を引き継ぎ、もう一度立ち上がるように促される。

人には誰しも痛恨の思い、自暴自棄になってしまう瞬間がある。しかし、諦めるという選択肢など元からないことに気づけば、慄然としながらも勇気を出して動き出すのだ。

19世紀のフランスが生んだ異才、**アレクサンドル・デュマ**（1802～70年）の『モンテ・クリスト伯』（邦題『巌窟王』）は、無実の罪で14年間も投獄された主人公エドモン・ダンテスの復讐譚として有名だが、あくまでも小説である。それでも「待て、しかして希望せよ」という作中の名台詞に救われた人は、世界中に今も絶えない。

日本の歴史上でも、このような初志貫徹・不撓不屈の例は多い。

平安時代末期。1180年に挙兵した33歳の清和源氏の棟梁は、平治の乱の敗戦後、父と兄は殺され、自身は20年間も伊豆国に配流されていた。その後、従弟の木曽義仲、仇敵の桓武平氏、弟の源義経を匿った奥州藤原氏を順に亡ぼし、後白河法皇から右近衛大将および権大納言の官職を授かった時は、実に30年ぶりの上洛であった。1192年には征夷大将軍に就任した**鎌倉幕府の創設者、源頼朝**である。

室町時代中期。九州であまりに厳格な信仰を主張、破門されて上洛した日蓮宗の僧がいた。専制政治で有名な〝万人恐怖〟6代将軍足利義教へ進言するため『立正治国論』を著し、面前で改宗を説き、逮捕・投獄される。二度と喋れないよう舌先を切られ、頭に灼熱の焼き鍋を被せられるが、拷問中も説法は続いたという。貼り付いた鍋は生涯取れず、各地で迫害を受けながらも布教し、30以上の寺院を創建した。この〝鍋冠り上人〟**日親**の命懸けの使命感が、のち戦国期に京都町衆の熱狂的な「法華一揆」結成につながる。その肖像画は、庶民の攘災招福の信仰対象にまでなった。

昭和時代前期。入省5年目で宇都宮税務署長を務めていた京都大学卒の大蔵官僚は、全身の皮膚に疱瘡を発する難病に罹患し、以後5年もの間、闘病による休職を余儀なくされた。しかも、献身的な看護に努めた妻は、この休職中に病死……。

しかし彼は、戦後に大蔵大臣から首相にまで上りつめる。国民所得倍増計画を打ち出し、東海道新幹線を開業に導き、東京オリンピックを成功させた、あの**池田勇人**である。

5歳で人質に出た**徳川家康**は、30歳の時に三方ヶ原で武田信玄に大敗を喫し、恐怖のあまり馬上で脱糞している。

2度離島に流されフィラリアに罹患して陰嚢が異様に腫れた**西郷隆盛**は、幕末に絶望して僧、月照と入水自殺未遂まで起こしている。**高橋是清**に至っては、留学先のアメリカで手違いにより奴隷契約を結ばされている。その少年が、日本銀行総裁、大蔵大臣を経て首相にまで上り詰め、最期は二・二六事件で殺害されるのだ——。

これらの話がなぜ今、ここに書かれているのか。

それは彼らが不屈の精神でよみがえり、**歴史に名を残すだけの人生、自らの始めた物語を十分に生き切ったからである。**

26

向こうにいる敵…全部殺せば…
オレ達自由になれるのか？

エレン・イェーガー（第90話「壁の向こう側へ」）

Those enemies on the other side of here...
if we kill them all...
does that mean we'll be free?

「海の向こうの敵」を叩くのは蛮勇なのか？

ウォール・マリアの奪還に成功し、エレンたちはパラディ島内から〝巨人〟を駆逐した。アルミンが言っていた海にエレンは無邪気に驚くも、その向こうにあるであろう本当の〝敵〟である大国マーレのことが心から離れることはなかった

〝三重の壁〟の最南端、ウォール・マリアの突出部シガンシナ区は、エレンたちの故郷である。最初の「超大型巨人（ベルトルト）」「鎧の巨人（ライナー）」襲来から6年。壁内人類は「女型の巨人（アニ）」を捕らえ、「超大型巨人」の力も奪い、ウォール・マリアを奪還した！

エルディア島内の「無垢の巨人」たちをほぼ淘汰し、馬に乗り壁外の世界に出て、**海を見る**ことができたエレンは、調査兵団のメンバーたちと砂浜に行き、恐る恐る海に入ってみる。アルミンの祖父が隠し持っていた本の内容通り「商人が一生かけても取り尽くせないほどの巨大な塩の湖」だ。「すっげえ広いな…」「うん…」。壁の向こうには海があって、

海の向こうには自由がある。ずっとそう信じていたエレンとアルミン。

日本史上初の対外戦は、古墳時代の4世紀末。**ヤマト政権による「鉄資源」を求めた朝鮮遠征**。半島北部の高句麗に敗れ、勢力は南部に留まったが騎馬技術を学んだ。6世紀半ば、ヤマト政権は、半島南部の拠点である加耶（任那）を失ったが、663年に**白村江の戦い**を起こす。朝鮮における勢力を復活させたいヤマト政権は、滅亡した半島西部の友好国百済の「再興を助ける」名目で出兵。しかし、中国の唐と半島東部の新羅からなる連合軍に、「（血で）海水みな赤し」と句に詠まれるほどの大敗北を喫する。これで2連敗……。

一方、日本が初めて攻められたのは平安時代。1019年の**刀伊の入寇**で2500人の女真（のちの満州族）を撃退したのは、九州の地方武士たちだった。これで1勝2敗。

鎌倉時代、日本は、モンゴル帝国5代皇帝フビライ・ハンが建国した中国王朝の元と、それに従う朝鮮半島の高麗から攻められる（=**蒙古襲来**〈**元寇**〉）。1274年の文永の役と1281年の弘安の役では、神風が吹いたかは不明だが、何とか勝利した。これで2勝2敗。そして安土桃山時代の豊臣秀吉による「中国征服過程」での**朝鮮侵略**。1592～93年の文禄の役と1597～98年の慶長の役は、明の援軍もあり失敗に終わる。これで２勝３敗……。

明治時代、「大陸進出」を図り**日清戦争**（１８９４〜９５年）と**日露戦争**（１９０４〜０５年）に連勝した日本は、韓国併合後に条約改正を完全達成する。台湾、澎湖諸島、南樺太、朝鮮を植民地とし、欧米列強と肩を並べる有色人種唯一の帝国主義国家となった。これで４勝３敗。

大正時代、「さらなる大陸進出と南洋諸島進出」を図り、連合国側として**第一次世界大戦**（１９１４〜１８年）に参戦、勝利して数々の利権を得た。これで５勝３敗。

昭和時代前期には、「日・満・華の円ブロック経済圏形成」のため、満洲事変後の１９３７年から日中戦争に突入。１９３９年にヨーロッパで始まった第二次世界大戦はしばらく様子を見たが、１９４１年の真珠湾攻撃により米・英・蘭（のちソ連も）を相手に太平洋戦争となる。この**大東亜戦争**（日中戦争＋太平洋戦争）では、２発の原爆まで落とされ、捕虜はシベリア抑留、戦後には人々が餓死寸前に陥った。

我々日本人は、５勝４敗で勝ち越し中のはずが、敗戦から76年を経た現代をいまだに戦後などと呼び、永遠の負け状態である。アメリカ、ロシア、中国など大陸の核保有国により、辺境の離島「楽園」に閉じ込められた……のか？　**さて、海の向こうは敵か味方か。**

27

私はたまたまなんだ…
たまたま順番が
回ってきただけの男なんだよ…

ヴィリー・タイバー（第98話「よかったな」）

It just happened to be me. It just happened that I was the man that turned to.

その血統に導かれ、残酷な運命さえも受け入れる

エルディア人貴族のタイバー家は、これまでマーレ内では特別の地位にあった。政治にも戦争にも不干渉だったが、パラディ島がマーレにとって脅威になると判断し、軍部と結託してパラディ島への宣戦布告を決意した。

「**戦槌の巨人**」を管理し、マーレを権限下に置くタイバー家。彼らはエルディア人の貴族で、名誉マーレ人を代表する存在である。約100年前の巨人大戦でカール・フリッツ王をパラディ島に退かせた栄えある一族（実際は「不戦の契り」という裏取引を行った一族）を率いる当主ヴィリーは、「**進撃の巨人**」エレンが、マーレ軍内の協力者の手引きでパラディ島から潜入していることを知りながら、レベリオ収容区で世界各国の要人や記者を集めた祭事を行う。「戦槌」に加え、「**鎧の巨人**」「**顎の巨人**」「**車力の巨人**」「**獣の巨人**」という5つの巨人兵器を持つマーレの実質的な司令官として、「1年以内にパラディ島を制圧する」という宣言を発するためだ。

その場であえてエレンらパラディ島勢力の襲撃を受け、その事実を最大限に利用し、世界各国の同情を受けて通常兵器による協力を得たい――。

彼は自分や一族の命に代えても、「進撃の巨人」に加え「**始祖の巨人**」までも身に宿すエレンを中心とする〝悪魔〟を倒し、世界を終わらせる〝地鳴らし〟の発動を止め、4年前の作戦で奪われてしまった「**女型の巨人**」と「**超大型巨人**」も奪還しようとしたのだ！

これまでのタイバー家当主と違い、時代のターニングポイントにたまたま巡り合ったのが、ヴィリーである。歴史上にも、このような「たまたま順番が回ってきただけの男」という立場にあった権力者は多数存在する。

日本史なら、例えば**豊臣秀頼**。父の秀吉は独裁色が強かったことから、政治組織が未整備だった。父の死後、幼少の秀頼は「天下分け目」1600年の**関ヶ原の戦い**を止められず、勝利した徳川家康によって220万石から60万石に減俸されながらも、耐え忍んだ。

しかし、成人後に2度目のターニングポイントを迎える。真田信繁（のぶしげ）〈幸村〉ら浪人たちを味方に、幕府の全大名と勝ち目のない戦いを行う運命となった。彼は1614年に始まる**大坂の役**〈**冬の陣・夏の陣**〉で母の淀殿とともに自害し、豊臣家は滅亡する。享年22。

世界史なら、例えば**ルイ16世**。イギリスとの戦争を繰り返すフランスの国家財政は行き詰まり、国王は改革派を起用して、特権的な第一身分（聖職者）、第二身分（貴族）に対する課税などの財政改革を試みた。しかし彼らが抵抗したため、1789年5月、174年ぶりに第三身分（平民）を含む三部会が召集されることになった。6月、第三身分の議員は、自分たちこそが国民を代表する国民議会であると宣言し、憲法制定までは解散しないことを球戯場（テニスコート）で誓った。これに対し、ルイ16世と保守的な貴族は武力で議会を鎮圧しようとしたので、当時パンの値上がりに苦しんでいたパリの民衆は、バスティーユ牢獄を襲撃した。これが7月14日、**フランス革命**の始まりである。

人権宣言の採択では革命は終わらない。ヴァレンヌ逃亡事件の結果、国民の信頼を失っていた国王は、1793年1月、急進的な共和主義のジャコバン派が力を増す中、革命広場で妻のマリー・アントワネットとともに断頭台（ギロチン）に送られる。享年39。

このように、豊臣秀頼もルイ16世も「たまたまの男」だった。

さて、「戦槌の巨人」の力を預けた妹とともに、レベリオ収容区で滅亡したタイバー家のヴィリーは、果たして何歳だったのか……。

28

まずはお前からだ
出てこいよリヴァイ

ジーク・イェーガー（第103話「強襲」）

Someone else comes first...
Show yourself, Levi.

ライバルは何をもっても倒さなければならない存在だ

タイバー家のリーダーシップによりマーレがパラディ島へ宣戦布告をした瞬間、潜んでいたエレンが巨人化して式典を襲撃し、ミカサたちも飛行船で強襲した。マーレ軍が応戦する最中、ジークはリヴァイとの戦いを呼びかける。遺恨のつのる2人の戦いが始まった。

この時はマーレにおけるフェイクの戦闘ごっこ（リヴァイ曰く「即興劇」）だったとはいえ、「獣の巨人」の台詞は、真の感情を含んでいる。

自軍が勝とうが負けようが、こいつにだけは負けたくない、こいつだけは倒したい、というほどの熱いライバル関係は、歴史を見返してみても、部外者すら巻き込むほどのパワーがある。**「獣の巨人」ジークvs「人類最強」リヴァイ**は、巨人の意味は違うがまるで長嶋茂雄vs村山実（みのる）や、江川卓（すぐる）vs掛布雅之を見るような……。

ジークに引きずられた野球がらみの冗談はさておき、世界中から拾うとキリがないので、日本国内の「宿命のライバル」史をひもといてみよう。

まずは古墳時代、ヤマト政権の**蘇我氏vs物部氏**。6世紀、仏教導入をめぐる「崇仏論争」を契機とした蘇我稲目（崇仏派）と物部尾輿（排仏派）の対立は、子の代に引き継がれた。587年、蘇我馬子が物部守屋を滅ぼし、以後の仏教興隆が決定する。

次に平安時代前期、**最澄（伝教大師）vs空海（弘法大師）**。生前は嵯峨天皇の庇護を受けた空海がリードしたが、死後、それぞれが開祖となった天台宗（比叡山延暦寺）と真言宗（高野山金剛峰寺）の隆盛を比較した場合、ほぼ五分といえよう。

女性のライバル関係も面白い。平安時代中期の**清少納言vs紫式部**。生前、違う主人に仕え、時期も前後していたことから宮中で出会うことのなかった2人だが、日記で一方的に悪口を書いた紫式部のこじれた性格が目立つ。しかし、清少納言の随筆『枕草子』に比べ、世界的に評価の高い『源氏物語』を書いている点を踏まえれば、これも五分というところか。小倉百人一首には、ともに和歌が選ばれ、知名度もほぼ同列である。

続いて平安時代後期〜末期の**清和源氏vs桓武平氏**。摂関政治期には源氏が東国に勢力を拡げたが、院政期に入ると平氏が中央に進出してがっぷり四つ。1167年、平清盛が武家出身で初の太政大臣となり、平氏政権を確立しリード。しかし、清盛の死後の1185年、壇の浦の戦いで平氏を滅ぼした源頼朝が鎌倉幕府を設立する。源氏の圧勝だろう。

さて、「下剋上」と呼ばれる実力主義の戦国時代。**〝甲斐の虎〟武田信玄vs〝越後の龍〟上杉謙信**は、日本史上最も有名な宿命のライバルかもしれない。5度にわたり川中島で対立した両雄の決着はつかず、現在でも歴史マニアの中で「どちらが〝戦国最強〟か」という論争は尽きない。

以後も、江戸時代の**宮本武蔵（二天一流）vs佐々木小次郎（巌流）**、水野十郎座衛門（旗本奴）vs幡随院長兵衛（町奴）、市川團十郎（江戸・荒事）vs坂田藤十郎（上方・和事）、喜多川歌麿（美人絵）vs東洲斎写楽（役者絵）などが有名で、幕末には尊王攘夷派vs公武合体派や**薩摩vs長州**という論点もある。

近代以降なら、**陸軍vs海軍**や三井vs三菱、東大vs京大や**早稲田vs慶應**、巨人vs阪神や新日vs全日、東急vs西武やキリンvsアサヒ、キャンディーズvsピンクレディーや**ジャンプvsマガジン**、ドラクエvsＦＦやディズニーvsＵＳＪ……ｅｔｃ。

火花を散らすライバル関係が、全体を牽引する大動力となり、さまざまなブームを作ってきた。日大vs関学やハンカチ王子vsマー君……色んな意味で、もうやめておきたい。

さあ、エレンvsライナー、ミカサvsアニなども刺激的な『進撃』の世界に戻ろう！

29

激動の時代の中で
アズマビト家は変じてきましたが

キヨミ・アズマビト（第111話「森の子ら」）

We, the Azumabito adopted to change ourselves in this turbulent era

象徴的支配者と実効支配者による〝らせん〟の関係

キヨミ来島の最中、イェーガー派の造反が起こり、ザックレー総裁が暗殺された。ピクシス司令は怒りを抑えてイェーガー派との宥和をさぐる。一方、アズマビトとしては島の地下資源〝氷爆石〟独占を狙うも、キヨミは同じ血統のミカサに特別な思いがあった。

東洋の先進的なヒィズル国。将軍家末裔の現当主キヨミ・アズマビトを見て、日本の皇室（天皇家）を思い浮かべた人は多いだろう。

ミカサは、父方がアッカーマン家（ケニーやリヴァイの縁者）、母がアズマビト家（キヨミの縁者）出身である。特に母は、100年以上前にパラディ島に逗留したヒィズル国将軍家子息の忘れ形見の子孫、という抜群の血統だ。

諸説あるが、日本は世界唯一の単一王朝国家だと言われることもある。2021年現在、今上天皇まで**126代続く男系の男女の天皇**により、政権が維持されてきたとされる。

確かにヤマト政権（のち朝廷）は、『古事記』『日本書紀』の神話世界や、系統があやふやな5世紀以前に目を瞑（つむ）れば、少なくとも１５００年以上王朝交代をしていない。世界にこのような体制は存在せず、ローマ帝国でさえ１０００年強の歴史だ。

太平洋戦争後、ＧＨＱ〈連合国軍総司令部〉に占領されたとはいえ、天皇の存在自体は途絶えることがなかった。なぜ、単一王朝の継続が可能だったのだろうか？

それは、**歴代天皇・上皇の処世術**に答えがある。

従来の呼称である大王（おおきみ）から天皇へと変化したのが、壬申の乱（６７２年）に勝利して即位した天武天皇である。皇族、貴族、仏教勢力間で政争の激しかった奈良時代を経て、平安時代後期の摂関政治では、母方の親戚（＝外戚）にあたる藤原氏に政務を任せ、権威を保つ。変化する政治状況を巧みに利用しつつ、**古代の天皇は自らの地位や権威はキープし続けた。**平安時代末期、**中世に移行すると、退位した天皇である上皇により院政が始まる。**途中、例外はあるが、以後はこれが朝廷の基本体制である。その後、鎌倉幕府、室町幕府といった武家を中心とする政権が誕生しても、しょせん新興勢力。武家は自らを裏付ける伝統的な権威がなく、軍事力や経済力だけで政権は長続きしないことは百も承知。皇室は、将軍に対し、ある程度の権力の正当性を保障し、自らの地位や権威を維持していった。

近世の安土桃山時代、江戸時代も、皇室は織田信長、豊臣秀吉、徳川家康に対し同様のスタンスをとった。江戸幕府は圧倒的に強かったが、**天皇は、政権を将軍に委任する伝統的権威の象徴として生き残った。**幕末の大政奉還も、「幕府の将軍が朝廷の天皇からお預かりしていた政権をお返しする」という構図である。

皇室は、その時点で最も強い勢力を持つ人物を積極的に承認することで権威を保ち続け、生き延びてきた。朝廷の天皇勢力が、時の政権を本気で倒そうとしたのは、後鳥羽上皇による承久（じょうきゅう）の乱（1221年）と、後醍醐天皇による建武（けんむ）の新政（1333〜1336年）くらい。これが、相対する勢力が直接戦い、やがて滅びていったヨーロッパや中国の王朝とは大きく異なる点で、終始一貫した日本独自のシステムともいえる。

そういえば、蘇我馬子も藤原道長も平清盛も源頼朝も足利義満も織田信長も豊臣秀吉も徳川家康も伊藤博文も近衛文麿も田中角栄も安倍晋三も、どんなに良いポジションにいても、奈良時代の道鏡を除けば**誰一人として天皇に成り代わろうと考えた人物はいない。**

GHQの最高司令官マッカーサーは、そんな天皇制を廃止したら国民はどうなるかわからず、戦後の日本は統制が取れないと考えたのだろう。正しいのか正しくないのか……？

令和の国民としては、何にせよ小室圭さんの動向が気になる、今日この頃である。

哀しみの言葉

元からこの世界は地獄だ
強い者が弱い者を食らう
親切なくらい分かりやすい世界

——アルミン・アルレルト
（第5話「絶望の中で鈍く光る」）

自分の力を信じても…
信頼に足る仲間の選択を信じても
…結果は誰にもわからなかった

——リヴァイ・アッカーマン（第28話「選択と結果」）

何の勲章だ？
誰を弔う？

——フロック・フォルスター
（第90話「壁の向こう側へ」）

……これが　君の見た…景色なんだね
ベルトルト…

——アルミン・アルレルト（第104話「勝者」）

私は……
ただの傍観者にすぎなかったのだ…

——キース・シャーディス（第71話「傍観者」）

もう…嫌なんだ自分が…
俺を…殺してくれ…もう…消えたい…

——ライナー・ブラウン（第100話「宣戦布告」）

モノトーンに近かった恋愛模様に比べて、作品内での哀しみの色彩は鮮やかだ。親しい人を失う哀しみ、使命を達成するため生きなければならない哀しみ、そして記憶とともに受け継いだ哀しみ……。心を押しつぶされるような哀しみを抱え、エレンたちは懸命に生き続ける。作品に登場する主たるキャラクターで自殺をする者は一人もいない。その意味で、『進撃の巨人』は生命への讃歌といえる。

第4章　現代史から読み解く「進撃の巨人」

30

けれどそれが現実
なんだから甘んじる
他にねえな

ジャン・キルシュタイン（第17話「武力幻想」）

The truth is...
...It usually doesn't end well.

格差と階級のハイブリッド社会を生き残れるか！

訓練兵団での日々も終わり近づいたある夜、ジャンがエレンにからんできた。危険の少ない憲兵団を目指すジャンと、巨人を倒すため調査兵団に入りたいエレンとの間には、元から溝があった。それは、脆い理想と汚れた現実のどちらに立つかを選ぶということだった。

対人格闘訓練の最中、エレンはアニに言われた。

「なぜかこの世界では　巨人に対抗する力を高めた者ほど巨人から離れられる　どうしてこんな**茶番**になると思う？」

「…さあ、何でだろうな！」

「それが人の本質だからでは？」

自分の父やエレンのように、**現実離れした理想に酔いしれることを下らないと思う**アニ。格闘能力の異常に高いクールビューティの正体は、実は「女型の巨人」。

一見、彼女と同じような意見でありながら、根っこでは絶望的な気分になっているのが、同期のジャン・キルシュタインだ。

今日も訓練後、兵舎の食堂で〝意識高い系〟のエレンが突っかかってくる。

「お前…おかしいと思わねぇのか？　巨人から遠ざかりたいがために巨人殺しの技術を磨くって仕組みをよ…」

「……　まあ…そうかもしれんが」に続く表題の言葉は、どんなにジャン本人が悪ぶったり気取ったりしていても、**怒りと悲しみと諦めの言葉**である。後日、結局は彼だって現実離れした理想を追い求め、調査兵団に入団するのだから……。


2000年代前半、構造改革を行った小泉純一郎内閣以降の日本は、「**格差社会**」の段階を超え、「**階級社会**」だとも言われている。生まれながらにして格差が固定されてしまうことが、階級社会の定義である。

「**格差社会**」**では、機会の平等はあっても結果に差はつく。**志願さえすれば誰もが応募でき、厳しい訓練を経たジャンたちが、今後、成績優秀者から順におそらく「憲兵団」「駐屯兵団」「調査兵団」に分かれていくのと同じだ。

しかし、『進撃の巨人』の世界は、同時に「階級社会」でもある。フリッツ王家、多数の貴族、ウォール教関係者など、特権階級は多い。軍関係者や商人たちは、本人たちの頑張りで出世したり儲けたりしているだけだ。

現在の日本の格差問題を考えるために歴史をひもといてみると、弥生時代から幕末までは「階級社会」だった。解消されたのは明治維新。新政府により「四民平等」を謳う身分解放令が発令され、皇族を除く人々は、華族、士族、平民という違いはあっても、基本的に平等になった。しかし、それはあくまでも建前で、江戸時代までの階級に替わる新しい基準が生まれていった。それが、時系列順に**①藩閥**、**②軍閥**、**③学閥**である。

薩摩、長州を中心に、土佐、肥前を加えた藩閥が幅を利かせたのが明治時代まで。日清、日露戦争の勝利を経て大正時代になると、陸海の軍閥が藩閥に並ぶようになった。第一次世界大戦の勝利を経て昭和時代になると、東大、京大など旧帝大出身者たちの学閥が存在感を増し、多数の首相や大臣、キャリア官僚を生み出していく。

実は、兵歴、軍歴や学歴は平等を実現するための装置だった。出自や実家の〝太さ〟に関係なく、努力によりチャンスをつかむことができた。さて……現在はどうなのか？

ジャン……、**格差と階級のハイブリッド社会**を、君はたくましく生き抜いてくれ！

31

巨人の体を纏った人間です!!

アルミン・アルレルト（第22話「長距離索敵陣形」）

Then it must be a human in the body of a titan!!

リアルワールドの巨人は人々に愛され、尊敬された

エルヴィン団長率いる第57回壁外調査に「女型の巨人」が襲い掛かった。エレンと同じように知性のある巨人に遭遇したアルミンは、混乱の中、何をするべきかを考える。その動きから巨人がエレンを狙っていることを知る。

訓練兵団を卒業した第104期の新兵たちが調査兵団に入り1カ月。ライナーとベルトルト、憲兵団に行ったアニが巨人だとはまだ誰も知らない……。

調査兵団として新兵たちの初仕事、第57回壁外調査が始まった。エレンをシガンシナ区に送るための試運転として、とりあえず「行って帰ってくる」ことが目標であるらしい。

先輩のオルオ（リヴァイの話し方を真似てよく舌を噛む）曰く、壁外調査は「いかに巨人と戦わないか」に懸かっている。そのためにエルヴィンが長距離索敵陣形を作り上げた。前方半円状に長距離だが確実に前後左右が見える距離で等間隔に兵を展開し、可能な限り索敵・伝達範囲を広げる。誰かが巨人を発見すれば、その位置を知らせる信煙弾を打ち

（通常種は赤、奇行種なら黒）、それを見た団長はじめ他の兵は、全員で緑の信煙弾を進路に向けて打ちつつ、巨人との接近を避けながら目的地を目指す。

たいていの巨人は馬の長距離走力には敵わない。個体によっては短時間なら馬の走力を上回る巨人もいるが、そのうち極端に動きが鈍る。

しかし……！

なぜかいつまでもすごい速度で追いかけてくる、14メートルほどの「女型の巨人」が出現！　しかも巨人の大群を連れてきた!!

ずんずん迫ってくる「女型の巨人」から必死で逃げるアルミンは、馬上で大焦りの思案の末、デカすぎる独り言を放つ。

通常種でも奇行種でもない、**この巨人には「知性」がある**。「超大型巨人」や「鎧の巨人」や…エレンと同じ……、**まるで巨人の体を纏った人間だ**。

「だっ…誰が!?　何で!?　何でこんな!!」

「まずいよ!!　どうしよう!?　僕も死ぬ!!　僕も殺される!!」

我々が「巨人」と聞いて連想するのは、普通はプロ野球の在京球団か、格闘技、スポーツ関係の選手だろう。韓国のチェ・ホンマン？　それともNBAのバスケットボール選手たち？　やはりプロレスラー？　プロレスラーだよね!?

団塊(だんかい)の世代〜団塊ジュニアの男性（＝40代半ば以上のTV世代）なら、「大巨人」**アンドレ・ザ・ジャイアント**と、「東洋の巨人」**ジャイアント馬場**を知らない人はいない。

前者は223センチ、236キロで、後者は209センチ、145キロ。彼らの何が凄いって、動き出したら超スピーディで、持続力があって、しかも頭がいいことだ！

アンドレは、フランス・グルノーブル出身で本名をアンドレ・レネ・ロシモフ（1946〜93年）と言った。「人間山脈」や「世界8番目の不思議」などと呼ばれ、日本では国際プロレスに初来日、のち新日本プロレスや全日本プロレスで活躍した。アメリカのWWF（現WWE）でも当然スーパースター！　世界一有名な実在の巨人である。

新潟県三条市出身の馬場正平（1938〜99年）は、元読売ジャイアンツ（＝巨人軍）のピッチャーだったが、力道山の日本プロレスに入門しデビュー！　アメリカ修行後に帰国し、同期のアントニオ猪木とのBI砲で一世を風靡した後、1972年に全日本プロレスを設立した。

……ハンジと同じで止まらなくなるので、巨人の話はそろそろやめておこう。

32

どんなに力で押さえようとも
どんな檻に閉じ込めようとも
コイツの意識を服従させることは
誰にもできない

リヴァイ・アッカーマン（第25話「噛みつく」）

No matter how much he's held back...
No matter what cage he's in...
No one can force him to submit.

「無敵の人」には「近寄らない」ことが肝要

巨大樹の森で「女型の巨人」に追われるエレンたちリヴァイ班。一人一人仲間が犠牲になっていくことに耐えられず、エレンは作戦を無視して、巨人化しようとする。それを必死で止めるペトラを制して、リヴァイはエレンに好きにしろと言い放つ。

紀元前4世紀、ギリシャの哲学者**アリストテレス**は、人間は本来、国家や社会を離れて生きることはできないと考え、「**人間はポリス的（社会的）動物である**」と定義した。しかし、他人が何を言おうと自分軸でのみ物事を考え、全ての行動を決める人間は存在する。

1970年3月〜9月、日本中がアジア初の万国博覧会開催の栄誉に浸っていた。6422万人（うち外国人170万人）が、アポロ計画で持ち帰られた「月の石」を目当てに殺到。岡本太郎が設計した70メートル級の「太陽の塔」も異様なオーラをまとい、会場を睥睨（へいげい）する。この時、確かに大阪が世界の中心だった。

4月26日。異変発生。

太陽の塔先端、黄金の顔の右目に怪しい人影を確認！

「赤軍」と書いた赤ヘルメットに青タオルの覆面、灰色の上着に黒ズボンという統一性皆無のカラーリングの男！　そういえば4月3日に「あしたのジョー」気取りの赤軍派による日航機「よど号」ハイジャックが成功したばかり。今度は〝アイジャック〟か？

謎の男は「万国博をつぶせ」と70メートルの高さからよく聞こえないアジ演説を開始。どう見てもこいつのせいで既にぶち壊しだが、塔の周囲は2000人以上の野次馬で大混雑。大阪府警は、博覧会が継続される中、約170人の警官を出動させ整理にあたった。

捕まえるには通路が狭く、目玉の中で押し合った場合、転落の危険も。万博協会名誉会長の佐藤栄作首相は、さすが後にノーベル平和賞を受賞するだけあり、穏便に説得する方針を固め、全国民注視の中、持久戦に突入――。

黄金の顔の両目には直径50センチ、5キロワットの巨大電球が入っており、会期中毎晩点灯していたが、男が焼け死ぬ怖れがあり、その間は点灯中止になった。

なにせ**万博の基本テーマは**「**人類の進歩と調和**」である。

翌27日午前10時30分。太陽の塔の設計者、岡本太郎が姿を見せた！

「芸術は爆発だ！」と普段から怒鳴っているので「爆破せよ！」とでも叫ぶのかと興味津々の全国民をよそに**「イカすね、ダンスでも踊ったらよかろうに」**と大人の態度で、持参したカメラで目玉男を撮影している。**「聖なるものは、常に汚されるという前提をもっているからね」**と、どこまでも自分軸の発言と行動を実践し、大芸術家は納得して去ってしまう。彼ら2名の意識を服従させることは、誰にもできない。

午後12時前。さらなる異変発生！

太陽の塔の下、母の塔の階段脇に、全裸でボサボサ髪&髭伸び放題の1・7メートル級を確認！　奇声を上げて暴走するが、ひねもす上空を見上げるだけでストレスの塊だった警官隊にあえなく取り押さえられ、服従した……。

5月3日。事件発生から8日目。

繰り返される説得に、男はついにギブアップ。威力業務妨害及び建造物侵入の現行犯で逮捕。犯人は本籍北海道、住所不定の25歳だった。「目玉おやじ」と思いきや意外と若い。逮捕後に「赤軍」とは直接関係がなかったことが判明し、左からも大目玉を喰らったとか。

33

森なめたら死にますよあなた!!

サシャ・ブラウス（第27話「エルヴィン・スミス」）

If you underestimate the forest, you'll die.

似て非なるものだからこそ、相通じるものがある

危険を察知する能力は自分の命を守ってくれる。それを生まれながらにして備えているか、後天的に獲得しているか……。森で狩猟を生業(なりわい)とする家で育ったサシャは、生活を通じてそれを身につけた。それは、自然への畏敬にもつながっている。

巨大樹の森で大きな悲鳴を聞いたミカサは、それが窮地に陥った「女型の巨人」の咆哮(ほうこう)だと知らないまま、反射的に動こうとする。それを引き留めてサシャが注意を促す。あれは追いつめられた生き物がすべてをなげうつ時の声と同じだ。故郷の森で、狩りの最後ほど注意が必要だと教えられたんだ、と。

「私も山育ちなんだけど…」と答えるミカサに対し、サシャは反発する。

「野菜作ってた子にはわからないですよ！」と。

似てるようでかなり違う、それと一緒にするな、と思う瞬間……。

例えばサッカーファンなら、リーガ・エスパニョーラ（スペイン）、セリエＡ（イタリア）、ブンデスリーガ（ドイツ）、プレミアリーグ（イングランド）と、Ｊリーグ（日本）やＫリーグ（韓国）を混同されるとイラっとするだろう。野球ファンならＭＬＢとＮＰＢ。逆に、日本と韓国、台湾の球界を同列に論じられても困る。

他にも、ＮＢＡとＢリーグ（バスケットボール）、ＷＷＥ、新日本プロレスとインディ団体（プロレス）、読売、朝日、日経と地方紙（新聞）、Ｔｏｋｙｏ ＦＭとコミュニティＦＭ（ラジオ）、劇団四季と大学の演劇サークル、この手の例えは枚挙に暇がない。

とはいえ、同じジャンルのものに真剣に取り組む、という点では共通点も探せる。誰もが必ず経験する「教育」分野では……。

幼稚園教諭と保育士。前者は文部科学省の管轄で、後者は厚生労働省の管轄。預かる子どもたちの年齢にも違いがあるが、園児たちへの強い思いは同じだろう。

小学校・中学校教諭と塾講師。前者は国家資格を持つ公務員・私立教員で、後者は正社員、アルバイト。文科省の学習指導要領の範囲内で授業をし、他にも部活や校務、保護者対応に追われる義務教育機関の教諭。それに対し、受験指導や補習、何より生徒募集やアルバイト講師の管理が重要な仕事になる営利団体の塾講師。それでも「授業」「保護者対応」は同じ。

高校教諭と予備校講師。前者は国家資格を持つ公務員、私立教員で、後者はフリーランスの業務委託。教師は教育の「理想」を語り、予備校講師は大学受験という「現実」を語る。それでも「授業」や「進路指導」は同じ。

大学教員と……と書こうとして、実は特に何の資格もいらないことに気づく。確かに修士号や博士号はあるに越したことはないが、必要条件ではない。なるほど……ね。


ミカサとサシャは、第１０４期訓練兵団として、厳しい訓練を共にした同期だ。もちろん互いにわかり合う部分が多い。だからこそミカサは「一緒にするな」といきり立つサシャに「…そう」と答えつつ、「いや…確かにサシャの勘は結構当たる…それも主に悪い予感の時だけ…」と彼女の意見を尊重してその場に留まる。

どの仕事も、サービスの対象であるお客から時間とお金を頂き、せめてその分、できればそれ以上のものを持って帰ってもらおう、という気持ちは同じ。彼女たちのように、**リスペクトし合いながら、**厳しい自由主義・資本主義社会を生き抜いていきたいものだ。

よく考えれば同じ黒髪の美少女２人。必死で生きる、独特で素敵なヒロインである。

34

何も捨てることができない人には
何も変えることはできないだろう

アルミン・アルレルト（第27話「エルヴィン・スミス」）

The people capable of changing things are the ones who can throw away everything dear to them."

〝人類の進歩〟のために犠牲を省みない冷徹な意思

秘密裏に進められていた「巨人捕獲作戦」でかかった獲物は「女型の巨人」という超大物だった。巨大樹の森の入り口で、待機していたアルミンは、大きな作戦が進んでいることを感じながら、エルヴィンの意志の強さと、それと表裏一体の冷徹さを評する。

巨大樹の森に迫り来る巨人たちを眼下に、釈然としない表情のジャンが、エルヴィン団長のやり方について、アルミンに同意を求めている。

「もう少しぐらい多くの兵に作戦を教えても良かったんじゃないか？」

しかし、アルミンの意見は異なる。

「いや…間違ってないよ」

ジャンは驚いて返す。

「は？　何が間違ってないって？　**兵士がどれだけ余計に死んだと思ってんだ？**」

それでも、真剣な目でアルミンはエルヴィン団長を次々と肯定していく……。

「結果を知った後で選択するのは誰でもできる」「でも…！　選択する前に結果を知ることはできないだろ？」「結果がわからないのに選択の時間は必ず来る」「結果責任って言葉も知ってる（中略）どれだけの成果をあげようと…兵士を無駄死にさせた結果がなくなるわけじゃない」「確かに団長は非情で悪い人かもしれない…けど僕は…それでいいと思う」

もはやジャンにではなく、自分自身に言い聞かせるように、アルミンは続ける。

「仲間の命が危うくなっても　選ばなきゃいけない　100人の仲間の命と壁の中の人類の命を」「団長は選んだ　100人の仲間の命を切り捨てることを選んだ」

そして、アルミンの短い人生なりに確信してることがあるという。それは……

「何かを変えることができる人間がいるとすれば　その人は　きっと…大事なものを捨てることができる人だ」「化け物をも凌ぐ必要に迫られたのなら　人間性をも捨て去ることができる人のことだ」

この後、さらに表題の強い言葉が続く。長い引用だったが、アルミンは、ある種の人間の一面を鋭く指摘している。エレン、ミカサ、アルミンの3人を幼い頃から知っている駐屯兵団の部隊長ハンネスが「とても賢い頭を持っている」と評するだけのことはある。

世界史上、自らの信じる変革のため、人間性を捨て去ったのでは？と思われる人物は数多いが、20世紀前半、戦間期の代表的な3名を以下に挙げる。

社会主義国**ソ連**の独裁者**ヨシフ・スターリン**（1878～1953年）は、2次にわたる「五カ年計画」という計画経済により、自由主義国の市場経済が総倒れした世界恐慌の影響からまぬがれ、第二次世界大戦のキャスティングボートを握った。しかし、独裁体制確立のための粛清に次ぐ粛清により、生涯に何人を殺したか数えきれないほどだ。戦後、中華人民共和国を建国した毛沢東もこれに似るか？

そして、**ナチス・ドイツ**の総統**アドルフ・ヒトラー**（1889～1945年）は、地球全体を第二次世界大戦へと導き、ユダヤ人、同性愛者、障がい者など、異端と断じる人々に対するジェノサイド〈集団殺害、大虐殺〉である「ホロコースト」を引き起こした。

最後に、**アメリカ**、民主党の大統領**ハリー・トルーマン**（1884～1972年）は、ヒトラーと並ぶ世紀のレイシスト〈人種主義者〉であるフランクリン・ローズヴェルト大統領の死去を受け、核兵器開発政策「マンハッタン計画」を引き継いだ。そして、死ねばいいとばかりに、我ら日本人を人体実験扱いし、広島・長崎に原爆を投下した……。

彼らをエルヴィン・スミスとの引き合いに出すことの正否の判断は、読者にゆだねたい。

35

怖いなぁ…

ハンジ・ゾエ（第34話「戦士は踊る」）

It's terrifying...

未知は人に恐怖を与えるが、人類は乗り越えてきた

アニ捕獲作戦の過程で壁の中に巨人がいることがわかった。現場に駆け付けたウォール教のニック司祭の慌てぶりから、ハンジ分隊長は、司祭たちが巨人の存在を知っていたと確信する。あまりにも多い謎を前に、ハンジは「知らない怖さ」を感じる。

もう手遅れかもしれない、という現実に直面した時。「何とかなるでしょ」と鈍感なのは日常の平和に惰眠をむさぼる者である。ギリギリで何とか生き抜いてきた者は「ヤバさ」の程度が解るだけに、痛恨の度合いが違う。最前線で戦ってきた調査兵団分隊長ハンジの「怖いなぁ…」は胸を突く。本当にヤバいのだ。

2020年の冬以降、世界は**新型コロナウイルス感染症**（**COVID－19**）の脅威により、あらゆる意味で停滞を余儀なくされている。ボーダーレス社会がボーダー社会に逆戻りする勢いで、国境どころか都道府県境までが、物理的な制限や心理的な壁により分断さ

れた。

飢餓や戦争とともに、人類が常に頭を悩ませてきたのが、細菌、ウイルスによる感染症との戦いである。人の主要死因は、先進国では1950年前後を境に生活習慣病に転換するが、それまでは感染症が筆頭だった。

地域特有の要因により発生する「**エンデミック**〈**風土病**〉」が、人と物の移動で数カ国規模に拡大し流行する「**エピデミック**〈**伝染病**〉」へ発展するのだが、近代以前ならこの段階で留まっていた。しかし、鉄道、船舶、航空機など、長距離・高速移動手段が発達し、物理的、心理的にもボーダーレス化が進行し、世界が狭くなった現代では「**パンデミック**〈**世界的大流行**〉」にまで巨大化してしまう。

規模もスピードも増したこの〝巨人〟は、ボーダーすなわち「壁」がなければ恐怖そのものだ。今回のコロナショックで、人類は移動を制限し、慌てて国や都市を封鎖した。

その「**壁**」**が巨人そのものであった、という絶望感**が、ハンジが感じたものである。

調査兵団を日本の医療関係者たちに置き換えれば理解しやすい。

2020年の下半期。日本政府は、医療関係者たちの反対を省みず「Go To イート」「Ｇｏ Ｔｏ トラベル」政策で外食と旅行を勧めた。経済を守るための「壁」である。ところが２０２１年１月。コロナ感染者の激増にともない、一転、緊急事態宣言でこれらの規制を開始する。それは、**国の政策という「壁」こそが、巨人であった**という証明だ。

感染症の流行に際し、人類は頓珍漢な政策を繰り返してきた。8世紀、日本で天然痘〈疱瘡〉が流行した時は大仏造立。14世紀、ヨーロッパでペスト〈黒死病〉が流行した時はユダヤ人弾圧。20世紀、スペイン風邪の大流行では、第一次世界大戦に参戦した兵士が戦場を転戦する中で世界に拡大。しかも参戦国は、自国にとって不利になる報道については検閲や規制を行い、諸国で情報が共有されず……。以上のように、思い込みや偏見、知識不足から、望ましくない歴史が紡がれてきた。人類はまた同じ過ちを繰り返すのか？

最後に一筋の光明を書き記しておこう。

18世紀末、イギリスの医師エドワード・ジェンナーが「牛痘(ぎゅうとう)に罹(かか)った人は天然痘に罹らない」という農民の言い伝えを元に、**ワクチン**を発見。これを契機に種痘〈牛痘接種〉が開発され、予防への道が開かれた。１９８０年、ＷＨＯ〈世界保健機関〉が根絶宣言を行い、**天然痘は、現時点で人類が根絶に成功した唯一の感染症となっている。**

36

もしこの食糧を失ったら
僕ら餓死しちゃうよ

アルミン・アルレルト（第51話「リヴァイ班」）

If we loose these food supplies,
We're going to starve to death.

社会的不安を如実に映し出す〝インフレーション〟

新生リヴァイ班に選ばれたエレンたちは、安全な山奥へ身を隠し、ウォール・マリアの奪還のため、エレンの巨人化実験を進めていく。一方、調査兵団と中央憲兵との対立が激化していき、壁内には急に不穏な空気が流れ始める。

エルヴィン団長が右腕を失うほどの決死の突撃により、調査兵団は「鎧の巨人」と化したライナーと「超大型巨人」であるベルトルトから、エレンを奪還した。ユミルは2人について行ってしまったが、とりあえず一息である。

巨人化、硬質化の能力のみならず、「巨人を操る力」まで持っている可能性が出てきたエレンと、ロッド・レイス卿の娘ヒストリアが本当の自分の姿だと名乗ったクリスタ。2人を安全な場所に隠し、護衛しつつ今後の行動を共にするため、ミカサ、アルミン、ジャン、コニー、サシャら新兵を加えた、**リヴァイ兵士長率いる新しい班**の編成が決まった。

人里離れた山奥に、厳戒態勢の疎開というか合宿状態の新リヴァイ班。エレンに（というかエレンの巨人に）興味津々のハンジ分隊長も、当然メンバーの一人だ。

さて、10数名が1カ所で生活するとなれば、食糧調達は重要な仕事である。先日の「ウォール・ローゼ内に巨人出現＝壁が突破されたのではないか」という懸念からの大騒動もあり、（幸い壁は無事だったが）「どれもこれも高騰してたね」と、真剣な顔のアルミンがサシャとジャンに語りつつ、3人で次々と食糧を運び込んでいく……。

焦土化した終戦直後の日本でも、極度の物資不足、預貯金引出し、通貨増発による猛烈な**インフレーション**（**物価高**）が発生した。また、朝鮮人・中国人労働者を失ったことで、石炭生産なども激減していた。

軍人・兵士の**復員**（＝**民間人化**）、植民地、占領地など海外からの民間人**引き揚げ**、軍需工場の閉鎖などにより失業者は増大し、約1400万人とその縁者が路頭に迷った。空襲などによる戦災のため、防空壕、バラック小屋での「タケノコ生活（＝衣類を1枚ずつ売り払っていく生活）」を余儀なくされ、生活は困窮した。

特に終戦の1945年は記録的凶作で、**食糧不足は深刻**となり、米の配給も遅配どころか不配が続いたので、都市の民衆は農村への**買い出し**、公定価格を無視した闇市での闇買い、庭や道路での自給生産などで飢えを凌いだ。

結局、①アメリカからの援助である**ガリオア資金**〈**占領地域統治救済資金**〉と**エロア資金**〈**占領地域経済復興資金**〉、②**金融緊急措置令**による預金封鎖と新円切り換え、③経済安定本部の設置と**傾斜生産方式**の採用〈石炭・鉄鋼・電力・化学肥料・海運などの重要部門に集中投資〉、④復興金融金庫の設置と復金債の発行などにより、国民は餓死を逃れることができた。この後、アメリカ政府がGHQ〈連合国軍総司令部〉を通じて出した**経済安定九原則実行指令**に基づくドッジ・プランとシャウプ税制改革の最中、50年に朝鮮戦争が勃発して「**特需景気**」が発生したことで、日本経済は息を吹き返す。

新リヴァイ班による、山奥でのエレンの硬質化の実験は上手くいかず、直ちにウォール・マリア奪還作戦を行うことは無理になった。ただし、エレンが連続して巨人になれる時間やその汎用性と限界値を知ることができた。

第104期の新兵たちにとっては、短い「ゆとり教育」の時間だった。

37

この世界はそう遠くない未来
必ず滅ぶ
そのわずかな人類の黄昏（たそがれ）に
私は楽園を築き上げたいのだ

ウーリ・レイス（第69話「友人」）

I want to create a pradise
for the surviving, waning
remnants fo humanity.

〝平和〟を保つためには、〝戦争〟をも辞さない覚悟がいる

自分以外何者も信じないケニーは「真の王」ウーリ暗殺を試みて、逆に殺されそうになる。壁内人類が滅ぶまで彼らの〝楽園〟を保ちたいというウーリの思いをケニーは中央憲兵のトップとなって裏から支えることにした。

真の王家＝レイス家のウーリは、ロッド・レイスの弟で、フリーダやその異母妹ヒストリアの叔父にあたる人物である。彼は、「始祖の巨人」の力を継承し、王家を維持した。晩年を迎えた彼は、長く側近として活動してきたケニー・アッカーマンに表題の言葉をつぶやく。しかし、その眼は何かを信じていた……。

我々の世界でも、植民地獲得競争の果てに起きた2度の世界大戦の反省から、戦後社会では、**国際平和を目指す動き**が続いている。

１９４５年、戦前の国際連盟に替わる**国際連合**という平和機関が成立したが、社会主義

陣営（共産主義陣営）のソ連と自由主義陣営（資本主義陣営）のアメリカを中心とする**東西冷戦**が激化した。決して友人ではない核保有国同士による「恐怖の均衡」である。

『**ユネスコ憲章**』前文にある「戦争は人の心の中で生まれるものであるから、人の心の中に**平和のとりで**を築かなければならない」という名言も、朝鮮戦争（1950～53年〈休戦中〉）などの内戦や、アメリカによるベトナム戦争（1965～73年）やソ連によるアフガニスタン侵攻（1979～89年）などの軍事介入、四次にわたる中東戦争（1948～73年）などの大規模紛争の前には、虚しく響いた。

その後、西ドイツの大統領**リヒャルト・フォン・ヴァイツゼッカー**は、1985年の第二次世界大戦終戦40周年記念演説で、「**過去に目を閉ざす者は、結局現在にも盲目となります**」と名言を放った。1989年、マルタ会談で東西冷戦は終結、1990年にベルリンの壁も崩壊し、1991年にソ連も解体された。しかし、以後も湾岸戦争（1990～91年）、アメリカ同時多発テロ（2001年9月11日）、イラク戦争（2003年）や、もはや伝統行事の域に達しているパレスチナ紛争（1948年～）にみられるように、各地で紛争は続いている。

一方で、国際的な軍縮の動きも続いてきた。

イギリスの哲学者**バートランド・ラッセル**は、ドイツ生まれの物理学者アインシュタインとともに、1955年、核戦争による人類破滅の危険性を警告する『**ラッセル・アインシュタイン宣言**』を発した。そして、1957年には、カナダで核兵器と戦争の廃絶を目指す科学者たちによる「**パグウォッシュ会議**」を開催するなど、核兵器廃絶運動・平和運動に積極的に取り組んだ。

しかし、1963年には**部分的核実験禁止条約**、1968年には**核兵器拡散防止条約**が紆余曲折の末に批准されたが、1996年の包括的核実験禁止条約はいまだ発効せず、核保有国は9カ国を数える（＝五大国＋インド、パキスタン、イスラエル、北朝鮮）。

2009年、アメリカ大統領**バラク・オバマ**は、**プラハ演説**で、「**核のない世界**」を目指すことを宣言し、ノーベル平和賞を受賞した。また、2016年には広島を訪問し、核兵器廃絶を訴えている。2017年に国連総会で採択された**核兵器禁止条約**は、2021年に50カ国の批准に達したため、ようやく発効した。世界は動き続けている。

ウーリ・レイス王は、姪のフリーダに自らを食わせ、「始祖の巨人」の力を伝えて死を迎えた。彼の言う、「友人」同士が創り出す「楽園」は、果たして……。

38

過去の罪や憎しみを背負うのは
我々大人の責任や

サシャの父（第111話「森の子ら」）

So this is our responsibility to carry the crime and hatred of the past.

憎しみの連鎖を断ち切るのは〝条約〟という名の〝鎖〟なのか

好意を寄せていたサシャを殺したのがガビだと知ったニコロ。激高しガビを殺そうとするがファルコが身を挺して庇う。2人をサシャの父親の前に突き出すが、彼はあらゆる遺恨を問わずに、幼い2人を赦（ゆる）す。

反マーレ義勇軍に所属する捕虜で、料理が得意なニコロは、亡くなった調査兵団のサシャ・ブラウスの父親をレストランに招待した。

厩舎総出で訪れたレストランでサシャの父母は、娘を飛行船の中で射殺したガビとファルコを前に、ニコロから受け取った包丁を置き、表題の言葉を述べる。

子供の代にまで、殺し合いを続けさせてはいけない、と……。

ここでは**核問題と日米関係**について述べたい。真珠湾と広島・長崎・沖縄などを見れば自明なことだが、程度の差こそ大いにあれ、日米双方が加害者であり被害者だ。

まず、核問題を時系列で整理しよう。

アメリカが人類史上初めて製造した大量破壊兵器は、エルディアのような巨人ではなく**原子爆弾**〈**原爆**〉である。1945年8月6日に広島、9日に長崎へ投下され、計20数万人の命を一瞬で奪った。4年後にはソ連も核実験に成功し、東西冷戦の中で、**水素爆弾**〈**水爆**〉を含む核兵器開発競争が始まる。

1954年、アメリカは太平洋ビキニ環礁で水爆実験を行い、日本の漁船第五福竜丸が被爆し、無線長の久保山愛吉さんが亡くなった。これを受けて翌年、広島で第1回原水爆禁止世界大会が開かれる。同年のラッセル・アインシュタイン宣言を経て、1957年にはカナダで科学者たちによるパグウォッシュ会議が開かれ、核兵器と戦争の廃絶を目指す方向性が打ち出された。そして同年、原子力の平和的利用を目指す**国際原子力機関**〈**IAEA**〉が発足、オーストリアのウィーンに本部に置いている。

その後、1963年の**部分的核実験禁止条約**、1968年の**核拡散防止条約**、1972年のSALT〈戦略兵器制限条約〉I、1979年のSALTII、1987年のINF〈中距離核戦力〉全廃条約〈2019年失効〉、1989年の**冷戦終結**、1991年のソ連解体とSTARTI〈戦略兵器削減条約〉、1993年のSTARTII、1996年の**包**

括的核実験禁止条約（未批准）、２００９年のオバマ米大統領による「プラハ演説」、翌年の新ＳＴＡＲＴ締結後もなお、核兵器は世界から消えていない。

２０２１年、**核兵器禁止条約**がようやく発効したが、核保有9カ国や、保有を目指すイラン、〝**核の傘**〟に守られている日本、ドイツなどは参加していない。日本は**非核三原則**を国是とするも、国際社会では難しい立場にある。

次に、日米関係を整理しよう。

ＧＨＱ〈連合国軍総司令部〉による占領と民主化を経て、１９５１年のサンフランシスコ平和条約で独立した日本は、同時に**日米安全保障条約**を結び、米軍が駐留し続けることになる。安保条約は１９６０年に**新日米安全保障条約**〈**日米相互協力及び安全保障条約**〉へと改定されて**日米地位協定**も定め、１９７０年からは自動延長されている。この他に、何度も改定されている**ガイドライン**〈**日米防衛協力のための指針**〉を結び、２０１５年以降、日本は安全保障関連法により**集団的自衛権**も行使できる状態である。

沖縄県には米軍基地の約7割が集中している。宜野湾（ぎのわん）市の普天間（ふてんま）飛行場の名護市辺野古（へのこ）沖への移転問題も大きなニュースになり、政府も県も、難しい立場が続いている。

39

この島だけに
自由をもたらせばそれでいい
そんなケチなこと言う仲間は
いないだろう

ハンジ・ゾエ（第127話「週末の夜」）

No one can complain liberty must be brought not only in this island but all over the world.

圧倒的な力のもと行われる〝正義〟に抗えるのか

ハンジは、〝地鳴らし〟を始めたエレンを止めるべく、マガトたちと手を組もうと画策する。パラディ島のエルディア人からしてみれば、〝地鳴らし〟は利するものだったが、人の命を無意味に奪うやり方に、ハンジは異を唱える。


全世界に対し〝地鳴らし〟を発動する――。エレンによる大虐殺を阻止しようとするハンジが、ミカサとジャンを前に心情を吐露する。

「私は…まだ調査兵団の14代団長だ　人類の自由のために心臓を捧げた…　仲間が見ている…気がする　大半は壁の外に人類がいるなんて知らずに死んでいった　だけど…」

「**アメリカ・ファースト**」を唱えていた大統領、45代**トランプ**（共和党）は敗れ、2021年1月、46代**バイデン**（民主党）が就任した。ケネディ以来2人目のカトリック教徒で、就任時78歳という、アメリカ史上最高齢の大統領である。

アメリカ合衆国という、国を超えた世界史上最大の「思想」は、果たして「自分さえよければそれでいい」というケチなものなのか？　主な歴代大統領を列挙して考えてみたい。

初代**ワシントン**（無所属）は総入れ歯でフガフガな「建国の父」。独立宣言を起草した3代ジェファーソン（リパブリカン）は領土を拡大。5代モンロー（リパブリカン）は孤立主義をとる。16代**リンカン**（共和党）は**奴隷解放宣言**を発し南北戦争に勝利。25代**マッキンリー**（共和党）は米西戦争に勝利しプエルトリコやハワイを併合するなど**帝国主義政策を開始**。26代**T・ローズヴェルト**（共和党）は軍事介入によるカリブ海政策「**棍棒外交**」を展開。日露戦争のポーツマス講和会議を主導しノーベル平和賞受賞。27代タフト（共和党）は各地に経済進出を強める「**ドル外交**」を展開した。

28代**ウィルソン**（民主党）は平和の使者として「**宣教師外交**」を展開。「十四カ条」を掲げ**第一次世界大戦**に参戦、パリ講和会議を主導し**国際連盟を設立**（アメリカは共和党の反対で不参加）。**ヨーロッパの国際協調**「**ヴェルサイユ体制**」**を確立**し、ノーベル平和賞受賞。29代ハーディング（共和党）はワシントン会議を主導し**アジア・太平洋の国際協調**「**ワシントン体制**」**を確立**。31代**フーヴァー**（共和党）は「永遠の繁栄」に胡坐をかき世界恐慌を起こす。32代**F・ローズヴェルト**（民主党）は「ニューディール政策」で経済を回復、ラテンアメリカ諸国やソ連に対し「**善隣外交**」を展開。1941年の真珠湾攻撃を契機に**第二次世界大戦に参戦**、**原爆開発「マンハッタン計画」を推進**したが病死。33代**トルーマン**（民主党）はポツダム宣言発表後に**広島・長崎へ原爆投下**。戦後は**国際連合を設立**しつつソ連の「封じ込め政策」を行い、**東西冷戦を開始し朝鮮戦争に介入**。

34代アイゼンハワー（共和党）は「巻き返し政策」で反共の立場を強化。35代**ケネディ**（民主党）は「ニューフロンティア政策」を掲げ、国民に新たなる開拓者としての自覚を持ち協力することを求めたが**キューバ危機**を起こし、最後は暗殺された。36代**ジョンソン**（民主党）は、**ベトナム戦争に介入**し社会の分断を招く。37代**ニクソン**（共和党）は**2度のニクソン・ショックで世界を仰天させ**盗聴で辞任。39代カーター（民主党）は**モスクワ五輪はボイコット**。40代**レーガン**（共和党）は、「強いアメリカ」を目指すが「双子の赤字」に苦しむ。41代**ブッシュ（父）**（共和党）は**東西冷戦を終結**させたが**湾岸戦争**を戦う。42代クリントン（民主党）はホワイトハウス内で実習生と不適切な関係。43代**ブッシュ（子）**（共和党）は**9・11テロを食らいアフガン紛争とイラク戦争を起こす**。44代オバマ（民主党）は「プラハ演説」のみでノーベル平和賞受賞……。

近年はやりたい放題で、トランプが特例でないと気づいた読者も多いだろう。

愛の言葉

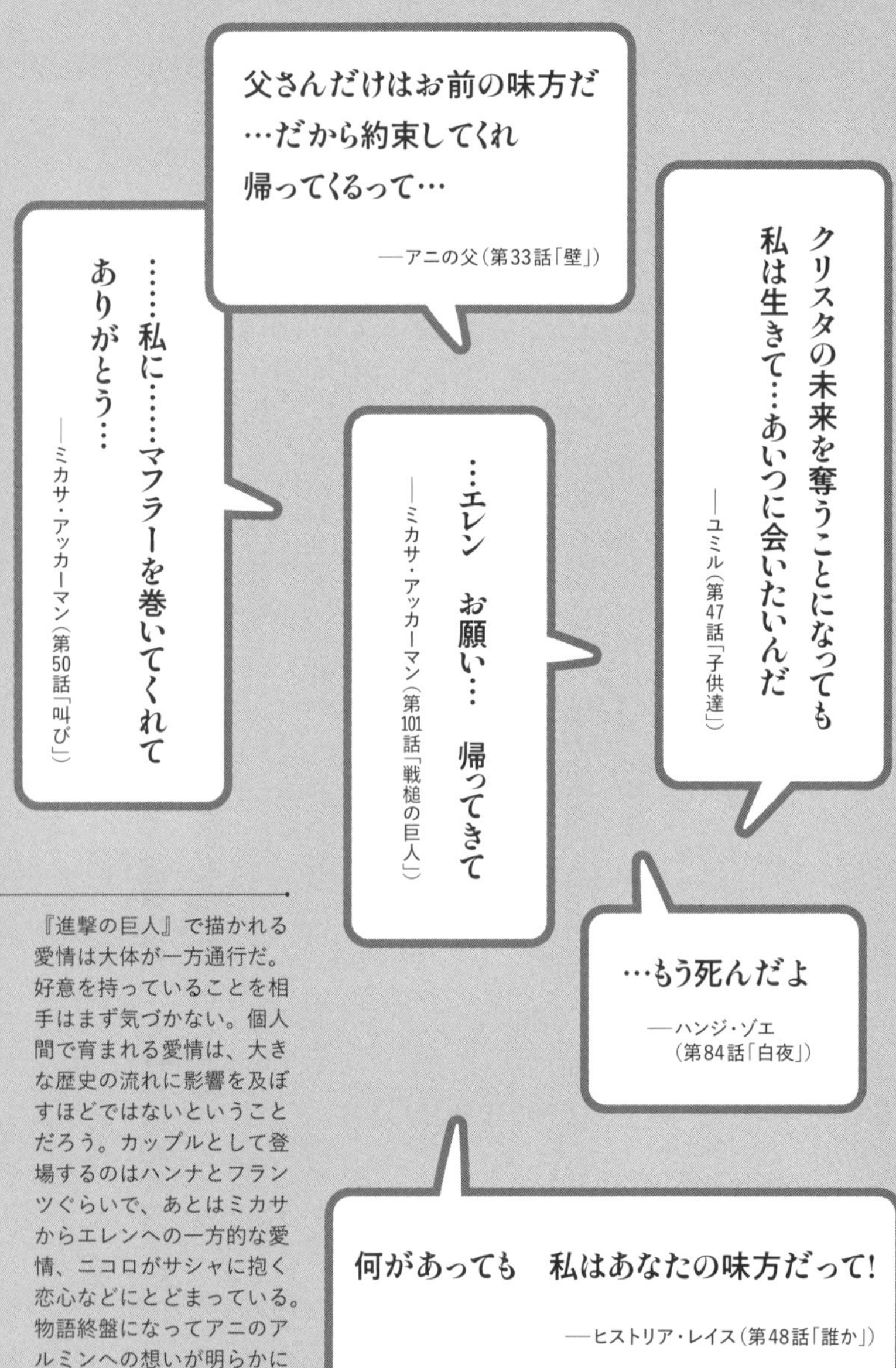

『進撃の巨人』で描かれる愛情は大体が一方通行だ。好意を持っていることを相手はまず気づかない。個人間で育まれる愛情は、大きな歴史の流れに影響を及ぼすほどではないということだろう。カップルとして登場するのはハンナとフランツぐらいで、あとはミカサからエレンへの一方的な愛情、ニコロがサシャに抱く恋心などにとどまっている。物語終盤になってアニのアルミンへの想いが明らかになった。

第5章　哲学から読み解く「進撃の巨人」

40

この世界は残酷だ…
そして…とても美しい

ミカサ・アッカーマン（第7話「小さな刃」）

This is a cruel world.
And yet...
...So beautiful...

手の届かない自由には鋭いトゲがある

新兵としてエレンたちが送られたトロスト区に、5年ぶりに「超大型巨人」が現れて、壁の扉が破られ、巨人たちが襲ってきた。巨人討伐の最中、ミカサはエレンが巨人に食われたことを知る。立体機動装置のガスが切れ、万事休したミカサは短い人生を振り返るが……。

日本で圧倒的な人気を誇る実存主義の哲学者が、**フリードリヒ・ヴィヘルム・ニーチェ**（1844〜1900年）である。

実存〔**existence**〕とは、「現実の自己の存在＝今ここにいる自分自身」という意味で、実存主義とは、個々の意識を変革することにより人間性を取り戻そうとする思想をいう。

実存主義者は、デカルト以降の近代哲学が重視してきた人間に共通する「**理性**」**の存在そのものを疑う。**普遍的・客観的な「真理」「道徳」があるとは考えず、あくまでも自分自身にとっての特殊的・主観的な「真理」「道徳」を追求するのだ。

ドイツの牧師（プロテスタントの聖職者）の子に生まれたニーチェは、24歳でスイスのバーゼル大学の古典文献学教授となる。

彼は、人間を含む森羅万象（しんらばんしょう）には、本来「より豊かに、より強く、より高く、より多く……」と成長を望み、力強く生きようとする能動的な「**力への意志**」が宿っているが、道徳がそれを抑圧してしまった、と考えた。そして、キリスト教の道徳観の根底には、弱者がルサンチマン〈怨恨（えんこん）〉に基づき強者の勝利に難癖をつけて貶め、自らを相対的に引き上げて正当化する狙いがあるとし、これを奴隷道徳と呼び鋭く批判した。

19世紀後半のヨーロッパは、自然科学の発達に伴ってキリスト教が影響力を弱めた時期である。ニーチェは著書『ツァラトゥストラはこう語った』の中で、「**神は死んだ**」と反キリスト者としての衝撃の宣言をした。そして奴隷道徳に、権威や意味などないことが暴かれた結果、近年は、信じる価値や生きる目的、意義もないとするニヒリズム〈虚無主義〉が広がってしまったと考えた。

しかし――。

人間は、絶えず自己を超えようとする「力への意志」の実現を図ることで、生きるための新たな価値を創造できる。

ニーチェは、現実の世界は無意味なものが目的もなく永遠に繰り返される「永劫回帰（えいごうかいき）」だとし、そこにニヒリズムの極限を見たが、それでも「力への意志」に従って生きれば自身の生は肯定でき、この時に自己への運命愛が生じるとした。そして、**運命愛を実践できる人間を超人**と呼び、キリスト教信仰を捨て、孤独の中でこの超人を目指すべきと説いた。

超人は、無意味と思える運命でも「これが人生か。ならばもう一丁！」とすべてを肯定し、力強く運命を愛することができる存在なのだ——。

ニーチェは、遺伝的な頭痛に悩まされ、34歳で退職せざるを得なかった。その後、孤独に苦しみながら思索し、『悲劇の誕生』『権力への意志』などを著したが、44歳の時、路上で昏倒する。そして、正気を失ったまま精神病院で入院生活を続け、56歳で亡くなった。

この事実をどう見るか。

ニーチェは、個々の人間が覚悟を持ち、新たな価値の創造に挑むことで本来の力を獲得できると考え、現実世界を積極的に肯定することによって、真に生きることができると説いた。

しかし、本人は発狂して死んだ。

——美しく、残酷な世界で。

41

エレン…
お前は　自由だ…

グリシャ・イェーガー（最終話「あの丘の木に向かって」）

Eren, you are free, since you are born.

生まれながら、私たちは自由を手にしている

すべての戦いを終えたとき、アルミンの頭に封印されていたエレンとの会話がよみがえった。世界に甚大な被害をあたえたエレンは、なぜ多くの人を殺したのかを問われても明確な答えは返せなかった。頭に響くのは、父の言葉……。

生まれたての赤子を抱いて、グリシャが思ったのは子どもがこれから歩むであろうあらゆる可能性のある未来のことだった。これは「**人間は自由なものとして生まれた**」というルソーのそれと被るが、ルソーのこの言葉は「**しかし、今やいたるところで鉄鎖に繋がれている**」と続く。フランス革命はその鉄鎖を外す戦いであった。

ジャン・ジャック・ルソー（1712～78年）は、スイスのジュネーブに時計職人の子として生まれた。16歳の時に市の閉門時刻に遅れ、それを契機に放浪生活を始める。とある男爵夫人の庇護のもと約10年間、さまざまな学問を独学し、30歳でパリに出た。

17世紀のイギリス市民革命（ピューリタン革命、名誉革命）を経たヨーロッパの**18世紀は「啓蒙の世紀」**と呼ばれる。偏見に囚われた無知蒙昧（もうまい）な人々に**理性**の光を当て、従来の権威や先入観に基づく考えから解放しようという思想が**啓蒙思想**である。中世までの宗教的権威や形而上学を批判し、近代科学、哲学による自然支配の発想を肯定したのだ。

ルソーは、理性を重視した啓蒙思想家の中にあって、**感情**を重視した異端児である。教育書『エミール』や政治哲学書『社会契約論』は、宗教や政府を冒涜（ぼうとく）するものとして禁書扱いとなり、彼はしばらく逃亡生活を余儀なくされたくらいだ。

そんなルソーの**社会契約説**（＝「個々の人間は本来自由で平等であるが、秩序や平和を守るために便宜上社会や国家を形成する契約を行った」という考え）を紹介したい。

前述のように、ルソーは「人間は自由なものとして生まれた。しかし、今やいたるところで鉄鎖に繋がれている」と説き、自然状態における人間は、生まれつきの素朴な自己愛と憐みの情を持つだけで、虚栄心も敬意も軽蔑も知らなかった、と考えた。相互の間に経済的・法的なやりとりなどなく、財産の所有や売買、それに伴う不正や、正義の実現の必要性といった観念も存在しなかったとして**自然状態を理想化**した。

しかし、土地の私有を始めたことで社会に不平等がはびこり、争いが持ち込まれる。

そこで人類は、身体や財産を守るために、共同体の共通意志に沿って政府を樹立し、自分たちの権利を全面的に委任することにした。ルソーにとって、これが国家の成立だった。

彼は『**人間不平等起源論**』の中でこのように唱え、貧富など社会の格差やそれに起因する争いをなくすため、理性を重視する（＝綺麗事が多い）文明社会を否定し、**感情を重視する**（＝**素直に生きる**）**ことを主張**し、人々に「**自然に帰れ**」と呼びかける！

そして、人民の主権は譲渡も分割もできないと主張し、絶対王政を擁護した**トマス・ホッブズ**（1588〜1679年）や、間接民主制を説いた**ジョン・ロック**（1632〜1704年）らイギリスの先人たちを批判して**直接民主制**を説いた。「**イギリス人は選挙の時だけ自由だが、選挙が終われば奴隷だ**」は、痛烈な皮肉を込めたルソーの名言である。

直接民主制においては、**誤った契約で成立した国家は、いつでも創り直すことができる。**

このようなルソーの思想は、彼の死後に起きた**フランス革命**（1789〜99年）の精神的・理論的根拠になるとともに、現代の**自由主義思想**（＝**自由を追求**）と**社会主義思想**（＝**平等を追求**）の形成に多大な影響を与えた。

エレンのつぶやきは、私たち現代市民社会の根源と重なる、魂の叫びでもあるのだ。

42

ジャンは…強い人ではないから
弱い人の気持ちがよく理解できる

マルコ・ボット（第18話「今、何をすべきか」）

Jean, you aren't strong, so you understand the feeling of the weak.

生き方を模索する時、思索は闇を照らす光となる

マルコはエレンたち同期の中でも成績上位にあり、特に状況を察する力に優れていた。彼ら第104期の新兵達は、トロスト区防衛戦に駆り出され、マルコもその一人だった。しかし、奪還作戦後、仲の良かったジャンが、マルコの死体を見つけてしまう。

ジャンから見れば、エレンは「意識高い系」のジャイロスコープ〈羅針盤〉型人間。自己の内面的価値・目標が定まっており、他人にどう思われようがそれに邁進する強さを持つ。アメリカの社会学者**デイヴィッド・リースマン**（1909〜2002年）は、著書『孤独な群衆』で、このような人間を、少し古い、**近代的な内部指向型**と定義した。

それに対し、普通の人はレーダー〈電波探知機〉型人間。特に目標などなく、他人の行為、願望を感じ取り、人目を気にしつつ同調して生きる。リースマンは、このような人間を、**現代的な外部指向型**と定義した。

巨人に食われ、同期のジャンたちの目の前で死体として燃やされるマルコ。彼は生前、ジャンは「指揮役に向いていると思う」と言った。「強い人ではないから弱い人の気持ちがよく理解できる」というのが根拠だ。「それでいて現状を正しく認識することに長けているから 今 何をすべきかが明確にわかる」「同じ目線から放たれた指示なら どんなに困難であっても切実に届くと思うんだ」とまで深く理解していた……。

荼毘(だび)の炎の前でマルコの言葉を思い出したジャンは、「今、何をすべきか」を改めて考えた。そして憲兵団志望を撤回し、震えながらも調査兵団を選ぶことを宣言する。

4巻屈指の名場面である。

マルコやジャンについて考えた時、思い出されるのが、16～17世紀のフランスに現れた思想家である**モラリスト**たちだ。彼らは、ルネサンス（Renaissance）・宗教改革（Reformation）という「2つのR」以降、新旧価値観の対立により混乱するヨーロッパにあって、**人間を深く観察し、その能力や人間性を謙虚に捉え、生き方を探究した。**

例えば、16世紀のモンテーニュ（1533～92年）は、「**ク・セ・ジュ**（**私は何を知るか**）」という懐疑の精神をもって自己を見つめた。

醜い宗教戦争であるユグノー戦争（1562〜98年）に直面していた彼は、人間の理性は不完全で、そのまま真理を認識することはできないので、常に独断や偏見を控え、謙虚な態度で思索を深めるべきと主張した。その上で、カトリック（旧教）の立場から、プロテスタント（新教）などの他者に対する**寛容の精神**も説いた。

また、17世紀の**パスカル**（1623〜62年）は、「この宇宙の沈黙は私を震撼させる」と、広大な宇宙の中で、自分がどこから来てどこへ向かうのか知らないまま、偶然存在していることへの驚きと畏れを表現した。また、「人間は自然の中で最も弱いひと茎の葦にすぎない。だが、それは**考える葦である**」「空間によって宇宙は私を包み、一つの点のように飲み込む。**しかし、考えることによって、私は宇宙を包む**」と述べ、宇宙に対し人間は孤独で無力な悲惨さをもつ存在であるが、思考するところに偉大さをもつとした。そして人間は、これらの悲惨さと偉大さの間をさまよう**中間者**であるとし、自らの悲惨さを認識できる自覚的・反省的思考に、人間の尊厳と生き方を見出した。

モンテーニュの『**随想録**（**エセー**）』、パスカルの『**瞑想録**（**パンセ**）』には、ジャンや我々を含む「弱い人」「普通の人」に示唆的な、格言や警句が散りばめられている。

これらを噛みしめつつ、マルコの冥福を祈ろう。

43

壁の外に人類がいないって
どうやって調べたんですか？

エルヴィン・スミス（第21話「地下室」）

How do we know that there aren't any humans outside the walls?

自らの〝経験〟のみ信じる〝強さ〟が〝世界の真実〟へと導く

エルヴィンの幼馴染で憲兵団の師団長ナイルが、幼いころのエルヴィンについて、ザックレーやピクシスに語る。実際の経験知から類推し、そこから逸脱することには疑念を抱き、真相を追い求めるエルヴィンは、手探りではあるが世界の真実にたどり着いていた。

第13代団長エルヴィン・スミスの死や部隊の壊滅をはじめ、壊滅的な犠牲を払いつつウォール・マリア奪還に成功した調査兵団の生き残りは、ついにイェーガー家の地下室に入った。そして、エレンが父グリシャから託された鍵で隠された引き出しを開け、そこで見つけた3冊の本をめくる……。

そこには、1枚の写真と「私は人類が優雅に暮らす壁の外から来た」「**人類は滅んでなどいない**」という、グリシャ・イェーガーによる衝撃の記述があった!

この〝**世界の真相**〟を知ることなく死んだエルヴィンに代わり、友人で元恋敵の憲兵団ナイル・ドーク師団長が、ザックレー総統やピクシス指令を前に、彼の過去を語る。

その少し前、傷だらけのリヴァイが見つめる中、エルヴィンの最期の言葉は、少年時代に教師に問うた壁の外にも人類がいるのではという可能性だった。何という執念……！
彼はまさに**経験論の権化**、他人の命すら省みない**悪魔**。

「経験論の祖」であるイギリスの**フランシス・ベーコン**（1561～1626年）は、本来、知識は生活の向上に役立つべきもので、人間の力の源泉である、と考えた。学問を机上のものとして完結させず生活に利用しようとしたのだが、これを表すベーコンの言葉が「**知は力なり**」だ。ここでいう〝知〟は、自然を支配し利用する力、すなわち自然科学と科学技術である。彼は、それは自然法則の発見によって獲得できるが、そのためには**先入観や偏見を排除して謙虚に自然を観察しなければならない**、と考えた。以上のことからベーコンは、「**自然は服従することによってでなければ征服できない**」と定義し、**経験によってのみ得られる事実を最重視**したのである。

「個別的事実を積み重ねて一般法則を見出す」方法論、これがベーコンを祖とする（イギリス）**経験論**である。

彼は、排除すべき先入観や偏見を「**イドラ**（**ラテン語で〝迷妄(めいそう)〟**）」と呼び、①人間という種族の感覚による錯覚を〝**種族のイドラ**〟、②洞窟のような限られた視野で思い込む〝**洞窟のイドラ**〟、③多くの人が集まる市場で聞きとめた話題を真実と思い込む〝**市場のイドラ**〟、④劇場の芝居を真実と思い込むように伝統や権威を妄信する〝**劇場のイドラ**〟の4つに分類した。

そして、正しい知識を得る方法として**帰納法**の重要性を説いた。帰納法は経験論そのものだ。「観察や実験から得られた個別的事実を積み重ねて一般法則を見出す」方法論だ。

例えば、「ソクラテスは死んだ、プラトンもアリストテレスも死んだ（＝個別的事実）」→「彼らは人間だ」→「ゆえにすべての人間は死ぬ（＝一般法則）」ということである。

ベーコンは、ある極寒の日、体調不良でも屋外で鶏の腹に雪を詰める実験を行い、肺炎をこじらせ死に至るほど、経験的事実を重視していた。何という執念……！

彼はまさに**経験論の権化**、他人どころか自らの命すら省みない**悪魔**。

「**知りたければ見に行けばいい**」「**それが調査兵団だろ?**」というエルヴィンの思想は、第14代調査兵団団長ハンジ・ゾエに見事に引き継がれた。彼女もまた言う。

「**わからないものがあれば理解しに行けばいい**」「**それが調査兵団だろ?**」

44

全員が正しい人であることを
前提とした仕組みに問題があるなら
変わるべきは人じゃなくて…
仕組み…の方…なのか…？

マルロ・フロイデンベルク（第31話「微笑み」）

So if there are flaws in a system that assumes all its members are upright people.

人間を治めるのは〝礼〟と〝法〟のどちらが正しいのか

エルヴィン率いる調査兵団は、「女型の巨人」によって壊滅状態となった。責任を問われるエルヴィンは王都に召集されることになった。調査兵団の警護を命令された憲兵団の第104期新兵マルロは、組織の矛盾を感じながらも、命令に従う。

憲兵団に入ることができた真面目な新兵マルロ。同期の女性兵士ヒッチからは、「正義感の強い真っ直ぐなバカ」的な目で見られている。しかし、アニの意見は違う。「(マルロのような)正しい事を正しいと思い、正しいと言い正しい行動をしようとする人間は、あくまでも強い〝特殊な人〟で、大半の人間は正しくはないが弱い〝普通の人〟」だという。言い換えれば、**性善説**をとるマルロに対してアニは**性悪説**をとっており、少数の強者が多数の弱者をむやみやたらと、言下に否定するべきではない、と考えている。

エレンと同様に、直情的なだけで単なるバカではないマルロは、人間や体制について真剣に考えるようになる……。

性善説、性悪説といえば、２人の**儒家**（じゅか）が有名だ。儒家は、春秋戦国時代に活動した、政治・戦略コンサルタント「**諸子百家**（ひゃっか）」の一種で、春秋時代末期の**孔子**（前５５１年頃〜前４７９年）が創始者である。

孔子から１５０年以上遅れた戦国時代後期、その思想を発展させたのが**孟子**（前３７２頃〜前２８９年頃）である。孟子は「**人間の本来の心は善である**」という**性善説**をとるが、心の養い方を間違えればその善は失われるとし、孔子と同様に教育を重視した。

早くに夫を亡くし、子に良い教育を受けさせるために三度引っ越しをする「孟母三遷」や、織っている最中の布を断ち切り、子に継続の重要さを諭す「孟母段機」などの逸話で有名なシングルマザーに育てられた彼は、非常に真面目に育った。そんな孟子は、学問を修めて諸国を遊説するが、覇権を争う時代に性善説の「**徳治主義**」に基づく政治を説いても、あまりに理想主義すぎて受け入れられなかった。ヒッチやアニの現実主義の態度を見れば想像できるだろう。失意の中、晩年は弟子の教育と著述に専念している……。

一方、戦国時代末期に生まれた**荀子**（前２９８頃〜前２３５年頃）は、基本的には孔子の教えを継承しつつも、孟子とは逆に「**人間の本性は欲望に支配されている**」という**性悪説**の立場に立った。

彼は、争乱の原因となる人々の欲望や利己心を矯正するために、社会規範として「礼」を遵守すべきであると「**礼治主義**」を主張した。この荀子の思想は、弟子の**李斯**(りし)や**韓非子**(かんぴし)がさらに発展・強化させた。彼らは、道徳によって人間を善へ教化するのは幻想にすぎず、法律と刑罰によって秩序を維持すべきであると「**法治主義**」を主張し、**法家**(ほうか)の祖となった。

そして、前221年。戦国時代を統一した秦の政王は始皇帝を名乗り、焚書坑儒による思想統制を行い、法家の李斯を登用して、皇帝権力の絶対化と中央集権化を推進する。国家の規範として法律を定め、各身分の役割を明確にすると同時に、為政者による臣下の統制を原則とする「法治主義」で政治を行ったのだ。

前202年。劉邦〈高祖〉が建てた前漢の初めには、法家に加え道家の教えが力を持った。しかし、前2世紀後半の武帝の時代には、董仲舒(とうちゅうじょ)の提案によって儒家の思想〈儒教〉が官学とされ、これを研究する学問は**儒学**と呼ばれるようになった。

マルロは、後に「獣の巨人」ジークに馬で突進し、投石を浴びて命を落とす。果たして、性善説、性悪説どちらが正しいのか……。

生き残ったヒッチや「女型の巨人」アニは、何を思う。

45

この森を出て他者と向き合うことは…
お前にとってそんなに難しいことなんか？

サシャの父（第36話「ただいま」）

Leavin' this forest and facing other people...
Is that really so tough for ya...?

サシャに詰め込まれた「属性」は、弱さを守る鎧となった

ウォール・ローゼ内に巨人が発生した時、サシャの父は近隣住民にも馬を渡して助けに回っていた。その最中、サシャが村に残された少女カヤを助けたことを知る。愛する森を出て、やさしく、そして強く成長した娘の姿に目を細めた。

サシャ・ブラウス。異様に食い意地が張った大柄なタレ目の芋女。**コンプレックスである故郷の訛りを隠すため、常に敬語で話す。**基本、ギャグ要員で笑い方は「むふふ」。しかし、よく見れば美人でスタイル抜群。空気を読まないおバカキャラで褒め上手。たまにやらかして、涙目で巨人に命乞いするドジっ子。しかも髪型はポニーテール。現代の日本なら、見事な〝オタサーの姫〟としてモテモテだろう。

山奥の森で狩猟を生業とする少数民族の出身であるサシャは、エレンやアルミンと違い、**外の世界に興味がない。**今まで通りの暮らしで、ただ沢山食べたい。それが幸せ。

サシャの父はそんな娘を心配し、諭している。閉ざされた世界、自分だけの世界で安穏としてやっていける世の中ではないことを、知っているからだ。

人間は、何らかの欲求を満たすべく行動し、生きている。その過程で、能力が足りないことや適性がないことなどを自覚して、そこから生まれる劣等感や、それが強くなって感情のわだかまりが生まれて**劣等コンプレックス**が形成されたり、**欲求不満**〈**フラストレーション**〉を抱えたりすることがある。また、複数の欲求が強く働いて、どちらにも決めがたい**葛藤**（かっとう）〈**コンフリクト**〉状態に陥ることもある。

特に青年期。自我に目覚めると、人は自他の違いを強く意識するようになる。サシャのような狭い世界で育った少女は、父のような大人に比べて十分な経験や自信がなく傷つきやすいため、コンプレックス、フラストレーション、コンフリクトを抱えがちである。

これらの解消方法は色々とあるが、人は、無意識のうちに精神的苦痛を処理しよう、和らげようとすることがある。八つ当たりや復讐など衝動的な「**近道反応**（ちかみち）」をとる場合もあれば、無意識に心の安定を保とうとする「**防衛機制**」が働く場合もある。サシャの（決して礼儀正しいわけでも謙虚なわけでもない）敬語や態度は、後者のひとつだと思われる。

オーストリアの精神分析学者**ジークムント・フロイト**（1856～1939年）は、防衛機制の研究を進め、9つの種類に分けた。列挙しよう。

①**抑圧**……不安や苦しみの原因となる欲求が、自分には無いかのように思い込む。②**合理化**……欲求の満たされなさについて、もっともらしい理由をつけ自分を正当化する。③**同一視**……他者が持つ能力や価値などを自分が持っているかのように思い込み満足する。④**投影**……自分自身の認めがたいマイナスの感情を相手に投げかけ、逆に相手がその感情を持っていると思い込む。⑤**反動形成**……あえて反対の行動をとり、好ましくない欲求や感情を抑える。⑥**逃避**……欲求が満たされない時、解決を目指さず他に逃げ込む。⑦**退行**……欲求が満たされない時、小児のような態度をとり甘える。⑧**代償**……欲求が満たされない時、類似する代わりの存在で欲求を満たす。⑨**昇華**（しょうか）……性的な衝動や攻撃性などの欲求を、社会的に価値ある活動に転嫁する。

以上のような防衛機制は、心の安定が失われた時、自動的に働く一時的な適応でしかなく、根本的な解決にはならない。解決するには、状況を冷静に認め、欲求を上手く抑制・調整し、**適度なストレス発散**をしつつ**耐性**〔**トレランス**〕を身につけて目標の達成を図ること（=**合理的解決**）が必要である。サシャの父は、娘にそれを勧めているのだ。

46

神だ
我々はそれを
神と呼ぶ

ロッド・レイス（第66話「願い」）

Our word for that …… is God.

〝神〟になる、と〝神〟を殺す――二つの意識の間で

礼拝堂の地下洞窟で、ロッド・レイスとケニーらはエレンを拘束し、「始祖の巨人」「進撃の巨人」をヒストリアに継承させせようとしていた。ためらうヒストリアに、「始祖の巨人」を継承することは、「神」になることだと語った。

ヒストリアの父ロッド・レイスは、5年前「進撃の巨人」グリシャ・イェーガーに礼拝堂の地下で殺された真の王家の生き残りである。本人は父である王から「始祖の巨人」を継承せず、弟ウーリや長女フリーダにその使命を委ねた。

レイス王家は、なぜ100年もの間、すべての巨人の頂点に立つ無敵の力を持っているにもかかわらず、人類を解放してあげなかったのか？と聞くヒストリアに、ロッドは目をギラつかせながら答える。「初代レイス王は、人類が巨人に支配される世界を望み、それを真の平和だと信じている」と。そして「始祖の巨人は、この世界を創りこの世の理を司る、全知全能にして唯一の存在」すなわち「神」だと。

そして、目の前のエレンを喰ってその「神」になれ、とヒストリアに強制する。

フランスの**ルネ・デカルト**（1596〜1650年）は、宗教戦争など争いが絶えない17世紀前半のヨーロッパ大陸において、確実な真理を求め、自然現象を解明する方法「**（大陸）合理論**」を提唱し、客観的な物体（＝意識される側）と主観的な精神（＝意識する側）を分けた。

物体の本質は長さ、広さ、深さなどの空間的広がり、すなわち「延長」にあるとし、「思惟」を本質とする精神とは明確に区別されると考えたのだ。その上で、自然界の物体に質的な価値があるように見えるのは人間の主観にすぎず、そこに精神性は全くないとした。このような立場は、「**人間が自然を支配してよい**」という、現代に続く機械論的自然観の原型となった。

デカルト曰く、自然界の物体は疑い得るが、人間の精神は物質的要素を含まないため疑い得ない（「**われ思う、ゆえにわれあり**（**コギト・エルゴ・スム**）」）。人間の身体を含む物体と精神を区別するこのような立場を**物心二元論**という。しかし、この存在についての「物⇔心」と、認識についての「客観⇔主観」からなる論は、さまざまな議論を生む。

17世紀後半、ユダヤ系オランダ人の**バールーフ・デ・スピノザ**（1632〜77年）は、「近代哲学の父」デカルトの哲学を独学で学んだ。そして彼は、あらゆる存在を遡れば、自己のみで存在し得るものに行き当たると考え、これを「神」（ヤハウェやアッラーに限らない）とした。つまり、世界の一切合切は、唯一の実体である「神」から必然的に生じ、「神」と必然的な関係をもつ、と唱えたのだ！

この「世界のすべては神の顕れ（あらわれ）」という考えを**汎神論**という。神に由来する自然に偶然などないため、経験を用いず理性（＝**主観**）によって世界（＝**客観**）のすべてを把握し得るはず。このように、スピノザは事物を「永遠の相（そう）の下（もと）に」、つまり神の必然性の下に理解した時こそ、人間は最高の喜びを得られると説いた。

物心二元論のデカルトと違い、物体と精神を神による一元論でまとめようとした〝神に酔える哲学者〟スピノザは、**世界はそのまま神である**（＝神即（すなわち）自然）と考え、『エチカ〈倫理学〉』を著した。これが高校や大学で学ぶ「倫理」という科目の語源だ。

第104期兵クリスタ・レンズは、〝神に酔える一族〟レイス王家唯一の後継者、ヒストリア・レイス。彼女はどのような未来を選ぶのか？　本シーンは重要な一幕である。

47

何だか不思議なんだけど
あなたといればどんな世界でも
怖くないや!!

ヒストリア・レイス（第50話「叫び」）

I don't know how to explain it.
But when I'm with you, I don't feel scared.

あらゆる閉塞感、虚無、そして絶望に打ち勝つのは愛だ

エレンを奪い〝故郷〟に戻る途上、ライナーとベルトルトは調査兵団の追撃を受け、エレンを奪還されてしまった。混乱の中、ユミルはヒストリアの安全を考えていたが、肩に乗ったヒストリアがユミルに語りかけた。

表題は、「ユミル！　あなたが私に言った通り、私達はもう…人のために生きるのはやめよう」「私達はこれから！　私達のために生きようよ!!」というヒストリアの叫びに続く、名台詞である。

キルケゴールやニーチェが19世紀に始め、生前はほとんど評価されなかった**実存主義**（=個々の意識を変革することにより人間性を取り戻そうとする思想）は、「人間の理性が創出した近代市民社会が過ちを犯した」とされる**第一次世界大戦**（１９１４〜１８年）が勃発すると、急速に注目を集めるようになった。

人間は、**死・苦悩・争い・責め**（負目（おいめ）や罪）という4つの、自分の力では避けることのできない**限界状況**に直面し、絶望や挫折を経験することがある。ヨーロッパの人々にとって、20世紀に入って起きた欧州大戦こそが、それだった。人類初の総力戦は、死も、苦悩も、争いも、責めも漏れなく含んでいた。

限界状況に至ると、人間は**自己の有限性**を自覚する。ドイツの精神科医・実存主義哲学者である**カール・ヤスパース**（1883～1969年）は、有限性を直視することによって、自己や世界を超えて包む〝神〟のような**超越者**〔**包括者**〕に出逢い、**実存**（＝今ここにいる私自身）に目覚めると説いた［ここでいう〝神〟は、ヤハウェ（ユダヤ教・キリスト教）やアッラー（イスラーム）に限らず、自らの力を超えたものという意味］。

ヤスパースは、さらに**真の実存に目覚めるには**（キルケゴールやニーチェの言うように）**独りでは不可能**で、同じように実存に目覚め、真の自己を目指す他者が必要と考えた。そして、互いが素直に自分をさらけ出し、誠実に自己を探究し合うような「**実存的交わり**」によって、初めて目覚めが得られるとした。

今まさに、多数の巨人に囲まれた限界状況の戦場において共鳴し合う、ヒストリアとユミルの関係ではないか！

ヤスパースは、「実存的交わり」を勧めるのに大切なのは理性だと説いた。そして、このような交わりは、愛と理性をもって**真摯に他者と向き合うこと**であるとして、これを**「愛しながらの戦い」**と表現した。

ヒストリアとユミルは、互いに相手を想い、真摯に向き合っている。もう、どんな世界であっても、2人でいれば怖くない。ユミルの返答は、聞かずとも判る。

2度の世界大戦という大きな限界状況に直面した同時代のヨーロッパ人にとって、真の実存に目覚めるためのヤスパースの哲学は、生きる希望となる思想だった。彼は、**第二次世界大戦**（1939～45年）時、ナチスにユダヤ人の妻との離婚・絶縁を勧告されるも拒否し続け、ハイデルベルク大学教授を免職となったが研究を続けた。ドイツに絶望した戦後は、スイスに移住してバーゼル大学教授となり、国際政治く国際平和などを研究し、講演も活発に行った。

この夫妻もまた、限界状況を2人の「愛しながらの戦い」で、乗り切ったのだ。

48

ならば人生には意味が無いのか

エルヴィン・スミス（第80話「名も無き兵士」）

Were those soldiers' lives meaning-less?

〝生きる意味〟を捨てたとき、本当の〝死〟が訪れる

「獣の巨人」ジークが放つ投石に壊滅状態になった調査兵団は、エルヴィン団長の策にすべてを賭けて総攻撃に出る。エルヴィンは幼い頃からの夢である〝人類の秘密〟を知りたかったがリヴァイの説得もあり、部下たちに総攻撃の意義を説き、自らも死地に赴く。

ウォール・マリア奪還作戦の最終局面。「獣の巨人」たちに退路を断たれ全滅の危機に陥った調査兵団は、エルヴィン団長と新兵たちによる騎馬突撃を仕掛ける。当然、投石攻撃の格好の的だ。しかし、彼らが囮になる間に、リヴァイ兵士長が立ち並ぶ巨人たちを伝って立体機動で忍び寄り、「獣の巨人」を奇襲し討ち取るという、捨て身の作戦。

絶望する新兵たち。その一人、フロックはエルヴィンと最後の問答をする。

「……俺たちは　今から…死ぬんですか?」「そうだ」「…どうせ死ぬなら　最後に戦って死ねということですか?」「そうだ」「いや…どうせ死ぬなら…どうやって死のうと　命令に背いて死のうと…意味なんか無いですよね…?」「まったくその通りだ」「…!」

エルヴィンは続ける。

「まったくもって無意味だ　どんなに夢や希望を持っていても　幸福な人生を送ることができたとしても、岩で体を打ち砕かれても　同じだ。人はいずれ死ぬ。**ならば人生には意味が無いのか？**　そもそも生まれてきたことに意味は無かったのか？　死んだ仲間もそうなのか？　あの兵士達も…無意味だったのか？　**いや違う!!**」

人は皆、幸福に生きたいと思っている。では、幸福とは具体的に何を指すのだろう？

幸福には、物質的なものと精神的なものがあり、両者は密接に関係している。衣食住に困らないなど物質的には苦痛はなくても、退屈やむなしさを感じていれば精神的に満たされておらず、幸福な状態とはいえない。エレンやその父グリシャがその典型例だ。

どんな健康状態や経済状況であれ、本当の幸福を手に入れようとするなら、自分にとって生きがいとは何か、**生きる意味**はどこにあるかという問いを避けて通ることはできない。

オーストリアの精神医学者、**ヴィクトール・フランクル**（１９０５〜９７年）は、**極限状態においても生きる意味を見い出し、どんな状況にあってもそれを追求することを止めてはいけない**、と説いた。エルヴィンがフロックら新兵にした行為そのものだ。

ユダヤ人だったフランクルは、第二次世界大戦中、ヒトラー率いるナチスがホロコースト〈大量虐殺〉のために設置した強制収容所に送られ、その体験から『**夜と霧**』を著した。彼は、収容所の中で、生きる意味を見い出せず希望を失った人（＝心が折れてしまった人）は、病気や衰弱で死に至る可能性が圧倒的に高かったと振り返っている。

フランクルは、生きる意味を問うこととは、自分を主語にして「私は人生に何を期待できるか」と考えることではなく、人生を主語にして「**人生は自分に何を期待しているか**」を考えることだと結論づけた。

「あの兵士に**意味を与えるのは我々だ!!**　あの勇敢な死者を!!　哀れな死者を!!　想うことができるのは!!　**生者である我々だ!!　我々はここで死に、次の生者に意味を託す!!**
それこそ唯一!!　この残酷な世界に抗う術なのだ!!」

新兵を率い突進するエルヴィン。

「**兵士よ怒れ　兵士よ叫べ　兵士よ!!　戦え!!**」

——この突撃からは……、フロックとリヴァイだけが生還することとなる。

49

自分じゃ正しいことを
やってきたつもりでも…
時代が変われば牢屋の中

ハンジ・ゾエ（第126話「矜持」）

I believed that we were doing right things
but now in the jail after time flows.

自らが信じて従う〝信念〟は〝自発的な服従〟だった

重傷を負ったリヴァイを連れて逃げるハンジは、涙を流しながら2人を追うかつての仲間を狙撃する。マーレからも狙われている2人は、逃げる場所もなく、森で隠れて暮らそうかと独り言ちる。その時、2人の頭にエレンの決意が響きわたる。

「獣の巨人」ジークにより瀕死の重傷を負ったリヴァイ兵士長を助け、2人きりで逃げるハンジ団長。元は部下だったイェーガー派調査兵団の追っ手を殺害し、夜、森の中に隠れ野営する。かつて自らが拷問し、牢屋に叩き込んだ中央第一憲兵団サネスを思い出しつつ、意識のないリヴァイの隣でつぶやいたのが、表題の言葉だ。

フランスの哲学者、**ミシェル・フーコー**（1926～84年）。ベストセラー『言葉と物』に当初「構造主義の考古学」と副題がついていたことから勘違いされがちだが、構造主義を厳しく批判した、**ポスト構造主義**の思想家である。

構造主義では、未開社会だろうが文明社会だろうが、人間全体や各個人が何をどう思考しようとも、社会制度や文化の背景には一貫した無意識の「構造〈システム〉」がある、とする。つまり、人間社会には「進歩〈プログレス〉」など存在せず、同じ構造の下で「変換〈シフト〉」を繰り返すだけらしい。まともに受け取れば、無責任な話である。

フーコーは、近代以降の西洋文明社会では、**「理性」を基準に秩序から逸脱するものを「狂気」とみなし異常なものとしてきた**、と考えた。彼は、この**排除の論理**によって、本来は多様なあり方を持つはずの人間や文化が、西洋近代の価値観を基準に序列化されてしまい、根拠もなく社会の監視、管理が強まったとして、近代の成立過程を批判した。

また、フーコーは、近代以降、「理性」を絶対視し、非理性的なものを支配、抑圧できる人こそが正常かつ健全である、とみなす傾向も問題視した。それは、**ある時代・地域特有の真理イメージに基づく考えの一つにすぎない**のに、多くの人はそこに気付かず、その結果、自己の内にある正常でないものを否定し、社会への服従を自覚なく選択することになる。これは、裏を返せば、**近代では理性的なものと非理性的なものを選別し、後者を排除する権力行使が当然となることで、監視におびえ、管理を許し、人間が規格化されてきた**、と考えた。

同性愛者として有名なフーコーも、調査兵団という存在も、巨人マニアかつ初の女性団長ハンジも、同時代・同地域の人々からは、異端視されてきたはずだ。

フーコーによれば、同じフランスの実存主義思想家サルトルが言う「自由な意志に基づく主体的な生き方」も、近代西洋社会の枠組みの中で刷り込まれた選択肢でしかない。それは、与えられた理想であり、そこに向かって生きることは、結局「自発的な服従」でしかないと批判した。

偽りの王家フリッツやウォール教を崇める中央憲兵、人類の翼として壁の外に何かを探しに行く調査兵団、その中間的存在の駐屯兵団……。

王家だろうが貴族だろうが聖職者だろうが軍人、兵士だろうが庶民だろうが。マーレ人だろうがアズマビトだろうが少数民族だろうがエルディア人だろうが。皆、その時代、その地域の中で正しいと思うものを信じ、生きてきた。それだけなのだ。

「いっそ二人でここで暮らそうか　ねぇ…リヴァイ」

傷つき眠る「人類最強」の男からの反応はない。さあ、彼を運ぶ荷車を修理しよう。

50

でも…僕にとってこれは…
増えるために必要でも何でもないけど…
すごく大切なものなんですよ

アルミン・アルレルト（第137話「巨人」）

However it is not needed for me to in-
crease myself but very important.

人は実存の根拠を人生の完成度に求める

「道」で遭遇したジークとアルミンは〝命〟について話す。〝命を増やす〟ために、より強く、より巨大にならざるを得なかったとジークは説く。ジークがクサヴァーとのキャッチボールの思い出を語ると、彼に関わる人たちが背後に現れる。

エレンと始祖ユミルの発動した〝地鳴らし〟との決戦でブタかオカピのような巨人に食われてしまい、異空間である「道」でジークと話すアルミン。各個人にとっては、何でもない一瞬が大切で、そのために生まれてきたんじゃないか、と言う。

「17世紀以降、人々が目指してきた近代市民社会は、必ずしも理想とはいえないのではないか」と考え、(マルクスら社会主義者とは違い社会の変革なしに)個々の意識の変革により「人間疎外」状態を克服しようとしたのが実存主義である。19世紀前半に、その先駆となった哲学者が、**セーレン・キルケゴール**(1813~55年)だ。

デンマークに生まれたキルケゴールは、かつて父が神を呪ったことや、父と母が結婚前に愛人関係であったことを知り、自ら「大地震」と呼ぶ絶望と自己嫌悪を感じていた。父母、特に父グリシャに対するジークの感情との共通点は多い。

彼は、一人ひとりの人間は、正体不明の「絶対精神」などに操られて生きているわけではない、とドイツ観念論の大哲学者**フリードリヒ・ヘーゲル**（1770〜1831年）を批判した。また、ヘーゲルお得意の正（テーゼ）と反（アンチテーゼ）を合（ジンテーゼ）に止揚（アウフヘーベン）する弁証法についても、欲張りすぎだと否定している。

キルケゴールは、あくまでも主体は自分自身なので、真理や道徳は人類全体でなく個々に考える必要があると説く。誰にとっても成り立つような普遍的、客観的な真理ではなく、あくまでも自分にとっての主観的な真理＝主体的真理を追究するのだ。彼は、「私にとって真理であるような真理を発見し、私がそれのために生き、そして死にたいと思うような理念（イデー）を発見する」という言葉も残している。

そして、主体的真理を求める**実存**（現**実**の自己の**存**在）のあり方を、三段階で説明しており、これを「**実存の三段階**」と呼んだ。**第一段階**として、（ヘーゲルの弁証法のように）「**あれも、これも**」と感性的な快楽を追い求める**美的実存**がある。

次に、そのような生き方に絶望した時、「**あれか、これか**」と正しく判断しようとする**第二段階**の**倫理的実存**となる。しかし、結果的に欲望に負けてまたもや絶望し、理性を超えた信仰である「**これ**」へと飛躍して、**第三段階**である**宗教的実存**に目覚めていく、と考えた。このように、自己を見失い〝死に至る病〟である絶望に直面した人間は、信仰への決断によって本来の自己を回復できる、と結論づけている。

キルケゴールは人間は主体的真理を求めて絶望を繰り返し、**自らの罪深さを自覚しながら、神の前に立つ単独者として生きるしかない**、と強く主張し、同時代の人々から変人扱いされて過ごした（婚約も一方的に破棄している）。彼は、『あれか、これか』『死に至る病』『おそれとおののき』『不安の概念』を著した末に、42歳で路上に昏倒して亡くなった。

「獣の巨人」を継承して12年。余命いくばくもないジークも、自分だけの生まれてきた意味を見つけて目覚め、あえてリヴァイに討たれることになる。

彼は、アルミンとともに、**自分自身が人生に納得することの大切さ**を読者に教えてくれている。最初から「俺がこの世に生まれたからだ」と言い切る弟エレンの強烈なブレなさを引き立てる、一見ニヒルで、実は人間らしい魅力的なキャラクターだった。

あとがき

ナチス・ドイツと並ぶ世界一有名な敗戦国、大日本帝国。

ウラン&プルトニウム2発の原子爆弾まで落とされた民族、日本人。

私たちは、「大量に殺さなければならないほどの相手が本当にいたのか」という反省と、「『全員死んでしまえばいい』という悪意の塊を投下されるほどのことをしたのか」という疑問の狭間で悩みつつ、また見て見ぬふりをしつつ、戦後を暮らしてきました。

『進撃の巨人』は、現代の日本においてこそ世に出される意味が確かに「在った」。社会科の講師として、開始時から考えてきたことを一冊の本にできてよかった。

諫山創先生や編集者や読者の方々。それぞれの思い入れのある作品を、我流のつたない解釈で汚してしまったならごめんなさい。私もまた、何かに酔っぱらっていたのかもしれません。

貴重な時間とお金を遣いお読み頂き、本当にありがとうございました。

伊藤賀一

伊藤賀一（いとう・がいち）

1972年京都市生まれ。リクルート運営のオンライン予備校『スタディサプリ』で高校日本史・倫理・政治経済・現代社会・中学地理・歴史・公民の7科目を担当する「日本一生徒数の多い社会講師」。43歳で一般受験し、2021年現在、早稲田大学教育学部生涯教育学専修に在学中。

新選組で有名な壬生に育つ。洛南高校を経て法政大学文学部史学科を卒業。東進ハイスクール最年少講師として採用され30歳まで出講後、教壇を一旦離れる。理由は、全国を住み込みで働きながら見聞を広めるため。四国八十八か所の遍路を含む4年のブランクを経て、秀英予備校で教壇に復帰、『受験サプリ（現スタディサプリ）』社会科立ち上げのため移籍。経験職種は20以上という多彩な経験をベースに圧倒的話術で展開される講義は、常に爆笑で「教室が揺れる」と形容される。現在も、プロレスのリングアナウンサーやラジオのパーソナリティーを常時務めるなど、活動は幅広い。

著書・監修書は、『会社を離れても仕事が途切れない7つのツボ』（青春新書インテリジェンス）、『47都道府県の歴史と地理がわかる事典』（幻冬舎新書）、『「90秒スタディ」ですぐわかる！　日本史速習講義』（ＰＨＰ研究所）、『笑う日本史』『すごい哲学』（以上ＫＡＤＯＫＡＷＡ）、『くわしい中学公民』（文英堂）など累計60万部以上。

残酷な世界でどう生きるか
「進撃の巨人」の言葉

2021年5月19日　初版発行

著　者　伊藤賀一
発行者　野村直克
発行所　総合法令出版株式会社
〒103-0001 東京都中央区日本橋小伝馬町15-18
EDGE小伝馬町ビル9階
電話　03-5623-5121
印刷・製本　中央精版印刷株式会社

落丁・乱丁本はお取替えいたします。

ISBN 978-4-86280-798-4
総合法令出版ホームページ　http://www.horei.com/